CB025190

UM OLHAR PARA O UNIVERSO

Somos NADA no Cosmo?

Cleofas Uchôa

UM OLHAR PARA O UNIVERSO

Somos NADA no Cosmo?

1ª edição

Rio de Janeiro

2013

Título Original: Um olhar para o universo – Somos nada no Cosmo?

Editor-chefe:
Tomaz Adour

Preparação de texto:
Sylvio Gonçalves

Revisão:
Equipe Vermelho Marinho

Editoração Eletrônica:
Equipe Vermelho Marinho

Capa:
Ciclo Arquitetura

Texto revisado segundo o novo Acordo Ortográfico da Língua Portuguesa.

U17o Uchôa, Cleofas
Um olhar para o universo – Somos nada no Cosmo? / Cleofas Uchôa.
Rio de Janeiro: Vermelho Marinho, 2013.
236 p. 14 x 21 cm

ISBN: 978-85-8265-014-1

1. Astronomia 2. Cosmo 3. Universo I. Título

CDD: 520

EDITORA VERMELHO MARINHO USINA DE LETRAS LTDA
Rio de Janeiro – Departamento Editorial:
Rua Visconde de Silva, 60 / 102 – Botafogo – Rio de Janeiro - RJ
CEP: 22.271-092
www.vermelhomarinho.com.br

Somos nada no cosmo? – É uma pergunta que nos acompanha através dos tempos, tendo sido objeto de estudo da filosofia e da religião. Mesmo pequenos e recentíssimos, somos raros. Um tipo de consciência entre tantas diferentes que permeiam o universo, e que só agora começa a perceber a sua imensa responsabilidade.

Dedicatória

Não sei com quais armas os homens lutarão na terceira guerra,
mas na quarta será a pau e pedra.
(Albert Einstein)

Aos meus ancestrais que por inúmeras contingências se encontraram, se amaram e me fizeram aparecer neste rincão do cosmo.

A todos os meus familiares e especialmente aos meus jovens descendentes: filhos Eduardo Henrique, João Cleofas, Fernando Luís e Júlio César; netos Henrique, Priscila, Luana, Joana, Miguel, Pedro Felipe, João Otavio, Cleofas, Julia e Victor, e bisneto Anthony. Eles dão sentido à minha existência e me enchem de esperanças inimagináveis.

Dedico ainda a todos que tive a sorte de conhecer neste astro, especialmente na Marinha do Brasil e no setor das Telecomunicações e Informática, que muito contribuíram para minha conduta e pensamento.

Nota ao Leitor

Uma grande verdade é somente aquela
cujo contrário é também uma grande verdade.
(Niels Bohr)

Este livro, que apresenta uma visão otimista do fenômeno humano, busca contribuir para a percepção do leitor acerca da evolução da consciência no universo. Os capítulos estão ordenados de modo a formar uma unidade conceitual, mas como cada um deles foi concebido como um ensaio isolado, o leitor pode escolher a ordem que lhe aprouver. Embora seja construído a partir de conceitos elaborados pelo eterno tatear do conhecimento humano, este livro não é uma obra de ciência e nem mesmo de divulgação científica, mas sim de especulações e interpretações pessoais sobre perspectivas de nossa existência, assunto sempre sujeito a naturais controvérsias.

SUMÁRIO

Apresentação

Não podemos resolver os problemas significativos
com que nos defrontamos se, para isso,
empregarmos o mesmo nível de pensamento
em que nos encontrávamos quando criamos os problemas.
(Albert Einstein)

Na medida em que foi adquirindo consciência (há cerca de 200 mil anos) o *Homo sapiens sapiens* se viu atormentado por três questões: *como, por quê* e *para quê* existe o mundo que o rodeia.

Como a evolução do universo se processa tem sido objeto do magistério da ciência, cujo método foi nos permitindo obter, progressivamente, razoável precisão na explicação de grande número de fenômenos que vemos no cosmo e nas suas inter-relações nas variadas escalas de espaço, tempo e complexidade.

Por quê e para quê, que dizem respeito ao significado, propósito ou desígnio do universo, são questões que pertencem ao magistério das crenças, dos mitos e das religiões. Contudo, como esses magistérios se alicerçam em dogmas originados por conhecimentos de épocas remotas, suas metáforas e parábolas encontram-se defasadas diante do conhecimento da humanidade que muitíssimo se alterou.

A fé, sempre relevante para a conduta humana, tem significado metafísico. Proporciona bem-estar psicológico e vem favorecendo a unificação de grupos sociais[1], apesar de ser também provocadora de conflitos. Mas sejam alicerçadas na ciência ou na fé, com o passar do tempo, todas as visões de mundo acabam em decadência e extinção, sendo substituídas por novas visões. Tudo no universo, talvez à exceção das partículas elementares, sempre invisíveis e de posições indeterminadas, é sempre temporário. Nasce, evolui e morre, e esse processo esconde uma mensagem que, apesar de incontáveis tentativas, ainda foi não decifrada.

O físico e astrônomo Galileu Galilei (1564-1642) afirmou que a ciência "não nos diz a forma de ir para o céu, mas sim como está o céu". Neste livro me concentro na questão do ***como.*** Defendo que um novo olhar para o universo pode colaborar com a percepção da efemeridade de nossas visões, interpretações e versões de mundo, bem como o entendimento da tendência universal de edificar estruturas cada vez mais complexas. Essas estruturas, partes isoladas cada vez mais interligadas entre si, vão adquirindo, em um longo processo

---

1 Conforme mencionou Luc Ferry, em a *Arte de viver*, a doutrina cristã foi base para muitos dos nossos conceitos sociais e políticos, como o da democracia e dos direitos humanos. Contudo, para lidar melhor com as novas percepções do universo, precisaríamos estimular a convergência entre as atuais visões religiosa e científica. Assim já o fazem muitos teólogos e cientistas, que tratam as duas visões como complementares.

de tentativa e erro, aparentemente comandado pelo acaso, características emergentes que não existiam nas partes anteriores. Esse processo foi denominado por Teilhard de Chardin de "complexidade-consciência". Quanto mais complexa uma estrutura, mais consciência terá. O todo é superior à soma das partes quando surgem novas características que brotam das relações entre elas. Para o entendimento desse processo é oportuno citar um exemplo simples. O cloro e o sódio têm propriedades específicas, mas, quando se juntam, formam o que se chama de sal de cozinha (cloreto de sódio) e que apresenta propriedades que seus constituintes não possuíam quando isolados. Não é possível conhecer o todo pelo exame das partes. Algo inédito surge quando partes se fundem.

Entendo que um novo olhar para o universo pode muito nos ajudar a melhor compreender as persistentes macromudanças estruturais que continuam a ocorrer no cosmo, incluindo o fenômeno da vida; a entender a importância das instabilidades dos sistemas complexos e a melhor perceber o sentido e a importância das contingências que parecem ter produzido os fenômenos que observamos, o que vem reforçando a hipótese de não existir um propósito para a eclosão da vida, da forma e no local em que surgiu. Entretanto, podemos desconfiar que por detrás dessa cadeia de contingências que constatamos pode existir algo que nos escapa à percepção, por ser transcendental.

Um olhar para o universo é também necessário para procurarmos entender melhor a interligação da ciência com a religião, duas poderosas formas de pensar bem distintas.

Baseados em um certo olhar, poderemos ainda edificar uma visão de mundo que, embora temporária, irá nos preparar para vivenciar grandes saltos evolutivos, e nos ajudará a entender o que aconteceu, o que está acontecendo e o que poderá acontecer com o fenômeno da vida neste planeta.

Apesar das estórias antigas terem sido muito bem imaginadas e adequadas para cada momento da nossa trajetória, estamos presenciando a convergência das duas formas de pensar, a profana e a sagrada, e começando a consolidar novas visões de mundo, mais apropriadas ao atual estado civilizatório.

Inicio este livro abordando a trajetória das nossas variadas visões de mundo que, não passando de ilusões, denominamos metaforicamente "máscaras". Para cada etapa do nosso conhecimento, adotamos uma máscara condizente com ele. Mas resíduos de máscaras anteriores permanecem naquelas que as sucedem. Resíduos demoram muito a desaparecer; até os resultantes da formação de nosso sistema estelar, como asteroides e cometas, continuam a nos preocupar.

Verso também sobre um processo cósmico que rege o mundo da matéria e da energia, a formação das partículas elementares e as estruturas complexas resultantes de suas permanentes fusões, em todos os seus níveis. Veremos que somos siderais, por nossa origem no ventre das estrelas, astros que nascem e evoluem pelo esforço de cooperação entre as partículas elementares, mas que, antes de morrerem, transmitem muitas mensagens de solidariedade e de altruísmo.

São observações e dados que sustentam o argumento acerca da importância de entender aos poucos o papel dos acasos, das simbioses, das parcerias, das instabilidades e das macromudanças que ocorrem no fenômeno da complexidade crescente do universo.

Apresento duas metáforas, a riqueza e a inflação cósmica, que talvez possam nos ajudar a edificar uma visão de mundo mais condizente com o nosso atual conhecimento. Examino ainda a abstração de nossas mentes, como a da ilusão do tempo. Temos instintivamente a noção de que o tempo possui existência absoluta, mas as medidas que utilizamos cotidianamente para quantificar o fluir do tempo só têm validade nas escalas de nossa dimensão. Fora dessas escalas, o tempo, como entendemos, pode não ter o mesmo significado. Pode até nem existir.

Na segunda parte do livro, aprofundo a discussão sobre as dicotomias ordem-desordem e competição-cooperação que ocorrem no universo. Os elementos de quaisquer dicotomias como o bem e o mal, a matéria e o espírito, a vida e a morte, criação e destruição, não devem ser considerados isoladamente, pois, se assim o forem, podem se tornar ilusões danosas que vão confundir nossa conduta e seriamente comprometer nossa apreciação do mundo. O uno e o plural se unificam, *unitas multiplex*. Os opostos costumam ser parceiros, se ligam e se opõem. Precisamos da bipolaridade unificada.

"O inimaginável", terceira parte do livro, pode ser considerada um *sum-up* dos capítulos anteriores. Aqui comento sobre alguns alicerces que poderão ser úteis na construção de uma nova visão de mundo, tecida com base nos fenômenos mais recentes percebidos no universo. Com essa visão, poderemos superar os conflitos da fase de transição pela qual passamos e as incongruências e carências de valores da atual Torre de Babel conceitual em que vivemos. Parece avizinhar-se uma transformação de maior magnitude do que aquela que vivemos ao passarmos de bactérias a *Homo sapiens*. Porém, o que será realmente essa mudança é algo que ainda se encontra no nível do inimaginável. Afinal, por que a evolução estancaria no *Homo sapiens*?

Como devemos nos preparar para o que está por vir? Devemos aguardar o futuro com otimismo ou temor? Para o filósofo Luc Ferry, não há razão para temermos o inimaginável, mesmo que ele nos brinde com a perda do interesse no sacrifício pela pátria, por Deus ou pelas revoluções nacionalistas, econômicas ou ideológicas. Já vimos que essas formas de pensar produziram guerras e conflitos que, apenas no século XX, mataram mais de 200 milhões de seres humanos. Segundo Ferry, não há mais sentido em morrer por crenças, dinheiro, pátria ou cascos de navios.

James Lovelok, pesquisador e ambientalista britânico, por sua vez, propôs a inimaginável hipótese de Gaia, em que explica o comportamento sistêmico da Terra como um ser vivo que se encontra em transformação, e a humanidade como importante fator da mudança de sua epiderme.

> Temos a capacidade de destruição desastrosa, mas também o potencial de edificar uma civilização magnífica. O monstro nos levou a usar mal a tecnologia; abusamos da energia e superpovoamos a Terra, mas não é abandonando a tecnologia que sustentaremos a civilização. Pelo contrário, temos de usá-la sabiamente, como faria o médico, tendo em mira a saúde da Terra, não a das pessoas. Daí ser tarde demais para o desenvolvimento sustentável; precisamos é de uma retirada sustentável (LOVELOK, 2006, p. 20).[2]

Procuro, com este livro, defender a necessidade de buscarmos, com otimismo, novos paradigmas de conduta fundamentados em uma visão de mundo que primeiro nos faça pensar cosmicamente, para, então, agirmos localmente. Do contrário continuaremos arrastados por turbilhões de degradações na natureza, por conflitos com nossos semelhantes e interesses egoístas, aos quais a vida neste planeta não terá condições de resistir por muito tempo.

Com novas e melhores teorias para compreender o universo, virão novas e melhores práticas, tanto para a existência individual quanto para a contínua evolução não só da espécie

---

2 Lovelok refere-se à dupla esquizóide do famoso romance *O médico e o monstro* (*The strange case of Dr. Jeckyll and Mr. Hyde)* escrito na segunda metade do século XIX pelo escocês Robert Louis Balfour Stevenson.

humana, que é um elo temporário da cadeia evolutiva, como das espécies que vão nos suceder neste planeta.

PARTE I

UM OLHAR PARA O UNIVERSO

1

UMA BREVE HISTÓRIA DE NOSSAS VISÕES DE MUNDO[3]

Se continuarmos na mesma direção,
é muito provável que regressemos à posição inicial.
(Provérbio chinês)

O universo nasceu de forma espontânea ou foi criado? Por que há plantas, animais, mares, montanhas? As luzes no céu noturno possuem significado para as nossas vidas cotidianas? Somos meros parasitas do cosmo ou temos uma finalidade nele? Por que existe a flecha do tempo, que estabelece vida e morte? A vida é milagre, acidente, desígnio ou tendência inexorável de uma sucessão infinita de universos? De onde viemos e para onde vamos? Estamos sozinhos? E por que demoramos tanto tempo para aparecer no universo?

Há milênios feiticeiros, míticos, astrólogos, teólogos, sacerdotes, filósofos, cosmólogos e homens comuns tentam responder a essas e tantas outras perguntas, na esperança de que elas apontem para o Santo Graal do conhecimento:

3 Este capítulo está alicerçado e foi inspirado pelo livro *Masks of the universe*, de Edward Harrison, citado nas referências.

a Verdade. Mas a triste verdade é que a Verdade não existe. Ao menos, não para nós. A mente humana está estruturada para avaliar o mundo que nos cerca segundo uma perspectiva estabelecida pelos limites das nossas percepções. Entre esses limites, pelo menos três se impõem como muito importantes: **tempo, espaço** e **complexidade**.

– tempo

Como somos efêmeros temos a ilusão de que o mundo é eterno e invariável. Olhamos para as montanhas e achamos que são imóveis, sem perceber que as placas continentais estão em movimento constante, separando-se cerca de 2,5 centímetros por ano. As configurações dos continentes, que nos parecem estáticos, lentamente se alteram. Consideramos imutáveis os ciclos da natureza, como o nascer e o pôr do sol, as marés e as estações do ano. Somos alheios ao crescimento e envelhecimento do Sol, à mudança do eixo de rotação da Terra, ao afastamento progressivo da Lua e à expansão do universo. Não somos capazes de conceber medidas de tempo da ordem de bilhões de anos ou de microssegundos. Temos a impressão de que o universo é estável e eterno porque nossos períodos de vida são demasiadamente curtos, não nos permitindo ver ou sentir lentas transformações.

– espaço

De maneira análoga não percebemos a separação, em profundidade, de objetos muito distantes. Objetos longínquos aparentam estar no mesmo plano. Por isso as estrelas e planetas parecem encravados no plano da abóboda celeste. Assim as constelações nada mais são do que uma miragem.

Contidos por nossa escala de tamanho e tridimensionalidade, não vemos todo o espectro das dimensões do universo. Assim, não percebemos o microcosmo (o mundo atômico) nem o macrocosmo (o mundo das galáxias), tampouco temos percepção das características dos mundos unidimensional, bidimensional e pluridimensional. E estamos distantes de compreender as onze dimensões que a física moderna recentemente nos apresentou. Não conseguimos ainda entender bem o que é a matéria escura nem o que é a energia escura que representam, pelo que nos diz a astrofísica atual interpretando alguns efeitos observados nos espaços intergalácticos, cerca de 95% de tudo que existe em nosso universo. Como existem ainda cerca de 4% de matéria invisível, os demais átomos que compõem tudo que conhecemos não passam de 1% do universo percebido. E estamos ainda muito longe de comprovar a existência de universos paralelos ao nosso. Olhando para o universo, estamos a concluir que somos quase nada.

- complexidade

Somos incapazes de lidar com o extremamente complexo ou com o extremamente simples. À medida que a complexidade das estruturas aumenta, a consciência começa a despontar e o acaso parece ser a causa mais importante da modelação do futuro. Por outro lado, ao caminharmos na direção de estruturas mais simples, como o átomo, verificamos que a incerteza passa a preponderar quando examinamos os fenômenos nesta escala de tamanho. Na escala do microcosmo não podemos determinar, simultaneamente, qual será a posição e a velocidade de um elétron. Nesta escala a indeterminação prepondera. A experiência tem ainda nos ensinado que, por mais sofisticados que estejamos tecnologicamente, é difícil, por exemplo, prever com exatidão as condições meteorológicas por mais de algumas semanas. A atmosfera já é uma estrutura razoavelmente complexa em que o aleatório influencia, por demais, os acontecimentos. Somos incapazes de prever o que pode surgir da interação de estruturas complexas. Observando as algas azuis que abundavam nos mares primevos da Terra, ninguém poderia antever o surgimento de uma espécie, a humana, que acabaria por surgir de inimagináveis sucessões de acasos que agregariam continuamente aquelas algas e as estruturas resultantes de suas parcerias, originando sistemas cada vez mais complexos. As novas estruturas complexas acabariam, após centenas de milhões de anos de mutações, fusões e da seleção natural, preparando-se para zarpar do planeta, partindo para o espaço e se metamorfoseando. Quem poderia vislumbrar isso?

Máscaras

Estando assim muito limitados pelos fatores tempo, espaço e complexidade, as respostas que conseguimos elaborar para as questões *como, por quê e para quê* são apenas versões transitórias de uma possível verdade: mitos, crenças, modelos e teorias. Produzidas pela mitologia, religião, filosofia ou ciência, as versões transitórias são "máscaras" que vestimos para representar a realidade durante determinado período de tempo. Para cada momento do desenvolvimento humano existe uma máscara. Quando os avanços do conhecimento e da tecnologia racham a máscara, o Homem a encobre com outra, mais condizente com o conhecimento de sua época. As máscaras mudam quando a experiência humana traz à luz novos fatos e percepções que, integrados aos antigos saberes, engendram uma nova forma de ver o universo.

Richard Feynman, prêmio Nobel de física de 1965, lembrou que "já percebemos que é mais importante um pergunta bem colocada do que uma resposta certa". Essa afirmação concorda com o filósofo, físico e matemático René Descartes (1596-1650) que, no século XVII, dizia: "Se algo não me suscita dúvidas não merece minha atenção".

A máscara mágica

O Homem mal balbuciava as primeiras palavras quando moldou a sua primeira máscara. Nossos antepassados acreditavam viver em um universo sem distinção entre animado e inanimado. Nesse mundo animista, tudo vivia. O beijo das ondas nas praias, o estrondo das cachoeiras, o espocar do trovão, o sibilo do vento, o farfalhar das árvores, o choro das nuvens: qualquer fenômeno era considerado manifestação de vida. O cintilar das luzes do céu, as estrelas, indicavam algo vivo lá em cima. A matéria inanimada não estava morta, apenas adormecida. Uma avalanche marcava o despertar das rochas. As marés nada mais eram do que o arquejo das águas. As estrelas, chamas das fogueiras daqueles que viviam lá no alto, e os vulcões, o fogo de multidões que habitavam o interior da Terra. O mundo, um ser animado e todo-poderoso, criou os homens à sua própria semelhança: as matas eram cabelos; as montanhas, ossos; o oceano, sangue; a chuva, suor; o vento, hálito; a abóboda celeste, caixa craniana de nosso planeta.

Na máscara mágica, a noção de indivíduo ainda não existia conforme a entendemos hoje. Cada criatura estava ligada a todo o resto, em conexão plena. Havia um simples e belo universo holístico, no qual não existia diferença entre a parte e o todo, entre o orgânico e o inorgânico. Essa máscara, que hoje não podemos mais sequer sentir, tendo sido encoberta por muitas subsequentes, talvez seja a que norteia a conduta de outras espécies do reino animal. Pode até ser por nostalgia que sintamos grande prazer na convivência com animais e plantas domésticos. Saudade de um mundo no qual participávamos intimamente da natureza.

Tudo indica que o mundo mágico era pré-verbal e matriarcal, com um nível de consciência preponderantemente feminino. A mulher era a origem de tudo, simbolizando fertilidade e beleza. O mundo mágico desconhecia as dicotomias matéria-espírito, corpo-mente, bem-mal, assim como as diferenciações entre dentro e fora, passado, presente e futuro. Sem a noção de individualidade ou de objetos distintos, tudo representava um *continuum* no espaço, no tempo e na complexidade.

O *modus operandi* de nossa mente nos dias de hoje, de inclinação racional, que pensa sob o paradigma causa-efeito, leva-nos a imaginar que o inconsciente do mundo mágico era inferior ao nosso. Afinal, como podemos não nos julgar superiores a homens que ouviam pedras e árvores, na esperança de captar percepções e conhecimento? Mas parece que se continuarmos a excluir de nosso pensamento o mundo mágico, submetendo-nos exclusivamente ao mundo racional, poderemos nos deparar com um insuperável problema de sobrevivência: um barbarismo que impedirá o próximo passo evolutivo de nossa consciência.

O psicanalista suíço Carl Gustav Jung (1875-1961) denominava o mundo mágico de *unus mundus*, em que a consciência e o desejo são do grupo e não dos indivíduos. Já o psicanalista americano Edward Whitmont (1913-1996) apontou que a palavra grega *idiotes* denominava aquele que não participava dos empreendimentos coletivos ou públicos, que não tinha conectividade, quer voluntária ou involuntariamente. Todas as coisas que hoje consideramos necessidades e direitos individuais eram irrelevantes e inimagináveis. Na máscara mágica, a perda da consciência grupal significava a perda da vida.

A máscara mítica

O acúmulo do conhecimento foi roubando vitalidade ao animismo, resultando no alvorecer da crença em espíritos. O animismo da árvore deu lugar ao mito do espírito da floresta. As forças das marés cederam espaço ao mito do espírito das águas. E o universo mágico se transformou no universo mítico, que engendrava espíritos habilidosos e dotados de poderes especiais. Membros de um clã mantinham relações com os espíritos e, dessa união, surgiam chefes míticos, xamãs e sacerdotes. As pequenas tribos deslocavam-se para outras paragens e, migrando, acabavam por encontrar outras tribos que tinham suas próprias crenças. Nesses encontros tribais surgiam as divergências de mitos nos diversos grupos. O resultado desses conflitos de máscaras acabou por originar os sentimentos de soberanias dos grupos (as nações, hoje em crepúsculo) e as primeiras religiões.

O animismo da máscara mágica e os espíritos da máscara mítica concediam ao Homem simultaneamente um entendimento integrado da vida e um controle dos fenômenos. Enquanto o animismo do mágico dava a noção de integração, os espíritos ajudavam na caça, na pesca, na colheita e nas viagens, protegendo os membros da tribo das intempéries da natureza. Surgiram os totens, as cerimônias, os rituais e os sacrifícios de animais e seres humanos para aplacar a possível ira dos espíritos.

De certa forma, o homem primitivo detinha mais entendimento do mundo simples em que vivia do que o homem atual possui das coisas ao seu redor. O Homem moderno parece não entender o que ocorre quando, por exemplo, aperta o botão de seu televisor ou navega na internet.

O Homem primitivo era amoral como uma criança de três anos de idade, não possuía ainda o sentido ético das coisas nem a responsabilidade de seus julgamentos. Esses, quando surgiram, trouxeram a reboque vergonha, culpa, ansiedade. De todas as máscaras, a mágica e a mítica talvez tenham sido as mais lúdicas e aprazíveis. Sem lei nem punição, os indivíduos acabavam por fazer as coisas apropriadas, "morais", de forma espontânea.

Tudo indica que nos mundos mágico e mítico as sociedades não apresentavam grandes sintomas de agressão, excetuando-se nos casos de sobrevivência e procriação, as duas principais funções de todos os animais. A inocência social parece ter sido um espírito primitivo da vida. Os animais de uma mesma espécie podem lutar, mas raramente se matam coletivamente. Eles fazem ameaças simbólicas, não têm espíritos, deuses, dogmas, verdades ou bandeiras. Contudo, como sabemos, alguns mamíferos, como os chimpanzés, nossos primos mais chegados, apresentam destacados comportamentos de poder e soberania territorial e sexual.

Ainda que reprimida pela exuberância da consciência racional, a máscara mítica não desapareceu totalmente. A crença em Papai Noel, anjos e fadas, água benta, o hábito de bater três vezes na madeira, fazer figa e o sinal da cruz em busca de proteção, entre tantas outras crenças, são resíduos da máscara mítica na contemporaneidade.

A máscara divina

No final do Paleolítico Superior, entre dez e quinze mil anos atrás, o crescimento do conhecimento e da população humana já nos havia brindado com grandes conquistas: o fogo, a produção e o cozimento de alimentos, a domesticação das plantas e dos animais, a pedra lascada, o sedentarismo, a metalurgia. Esse período também testemunhou o surgimento da máscara divina, quando o Homem começou a substituir os espíritos por deuses.

Os deuses da máscara divina eram antropomórficos e remotos, habitavam os céus longínquos, o interior da Terra ou o fundo dos mares. As sociedades julgavam que detinham relacionamento próximo com esses deuses e que, por meio deles, podiam influenciar os acontecimentos da natureza. Sendo cada tribo o berço e a origem do mundo e regida por seus deuses onipotentes, os encontros entre núcleos humanos passaram a resultar, com crescente frequência, em conflitos e guerras. E os perdedores tinham que se submeter ao Deus do núcleo vencedor. Com a máscara divina surgiu o preconceito religioso: a crença que não casa com a crença do outro não é verdade e sim mito, o que conduzia a inevitáveis colisões. Nascia assim a tirania e o escravagismo. O mundo se desumanizava, perdendo paulatinamente a ligação animista com a natureza. Surgia também a dicotomia entre matéria morta e matéria viva, que deixaria profundos resíduos nas máscaras subsequentes.

O criacionismo, conceito no qual a criação subordina-se a um processo sequencial, também foi aplicado aos deuses. O mito da criação dos deuses (teogonia) surgiu por volta do século VIII a.C. No princípio só existiam Caos, Gea, Tartarus e Eros, que deram origem aos demais deuses. Antropomórficos, os deuses do mundo divino tinham manias, hábitos e comportamentos humanos: violentavam, roubavam, fingiam, mentiam, falseavam, amavam, traíam, enganavam, invejavam, odiavam. Urano violentou Gea, dando nascimento aos Titãs, primeiros reguladores da Terra. De Gea nasceu Prometeu, que do barro modelou os humanos, tendo ainda aprisionado as doenças em uma caixa. Inadvertidamente, Pandora abriu a caixa, que leva seu nome, cometendo o pecado original e terminando com o paraíso na Terra. O fantasma da culpa viria assombrar as religiões subsequentes, manifestando-se, por exemplo, no pecado original de Adão e Eva. A guerra generalizada dos humanos se acentuou pelo medo dos espíritos e pela veneração aos deuses *ad majorem dei gloriam*. A tragédia humana não é somente a sua truculência genética, mas a sua propensão cultural para ilusões e para a autotranscendência, com devoções mal colocadas, como dizia o filósofo e escritor húngaro Arthur Koestler (1905-1983). Os deuses comissionavam as guerras e protegiam os seus devotos para a vitória. No início do século XXI ficamos estarrecidos com as declarações de presidentes de duas nações: o presidente Bush implorava a Deus, na catedral de Saint-Patrick, em Nova York, proteção para a operação Tempestade no Deserto, enquanto Saddam Hussein pedia a Alá a bênção para a mais santa das guerras. Resquícios da máscara divina, que estabelece que o universo de um indivíduo é verdade enquanto o do outro é mito.

Primeiramente, a plácida devoção à natureza foi substituída pela devoção aos espíritos e depois pela patológica devoção aos deuses antropomórficos. Por excesso de antropocentrismo, muitas máscaras antigas estabeleceram que o Homem fora criado à semelhança de Deus, quando, de fato, sabemos que os deuses é que foram criados à semelhança do Homem, para seu conforto e soberba.

Para os egípcios o universo era uma mulher curvada para baixo, a deusa Nut, a mãe das estrelas. E, como uma tenda, era sustentada por outro deus, Shu, que evitava que o céu desabasse sobre Geb, o deus da Terra. Para os asiáticos a tenda era sustentada por tartarugas. A tenda, a abóbada celeste, foi substituída mais tarde por uma abóbada metálica, onde ficavam penduradas lamparinas (as estrelas), cada uma na mão de um deus. Para os egípcios, o Deus do Sol e o da Lua percorriam um rio logo abaixo da abóbada e, depois de se porem no Oeste, navegavam pelos rios subterrâneos da Terra para ressurgirem no Leste.

Os caldeus inventaram uma forma de associar os eventos celestes aos eventos terrenos. Os sete planetas (astros errantes) então conhecidos – Lua, Mercúrio, Vênus, Sol, Marte, Júpiter,

Saturno – deram origem à convenção da existência de um período de tempo de sete dias, que denominamos de "semana". Estes astros eram lamparinas nômades, cada uma representando um deus. Os planetas transitavam erraticamente dentro de uma faixa limitada do céu, denominada de zodíaco, e a passagem de cada um deles por diversas de suas seções tinha a significação simbólica do drama mitológico que se desenrolava por detrás da abóbada celeste, e que influenciava a vida e os destinos dos homens na Terra. Nascia a astromancia, que hoje é equivocadamente denominada astrologia.

A astrologia transformou-se em um forte instrumento de poder que tencionava entender as mensagens do céu, que previam sorte ou desgraça, bem como explicar a forma como as pessoas mapeavam suas aflições e esperanças. O astrólogo era um profissional bem remunerado e prestigiado, que tentava fazer previsões sobre o futuro baseando-se em aparentes cálculos rigorosos. Todo monarca empregava um astrólogo para prever o futuro, da mesma forma que hoje os governos têm economistas para aconselhar a respeito do incerto futuro. Mudaram sim os conceitos e os métodos de previsibilidade, mas, similarmente à astromancia e à astrolatria, surgiram em tempos mais recentes a economancia e a econolatria.

Mesmo tomando por norte espíritos e deuses, o mundo evoluiu. No século VI a.C., o profeta Zaratustra lançou uma nova máscara fundamental. Substituiu o politeísmo hierárquico, um caleidoscópio de deuses antropomórficos, pelo monoteísmo ético, estabelecendo a doutrina da premiação ou punição após a morte. Assim, a alma do Homem estava submetida à justiça do Deus, agora único – o boníssimo e todo-poderoso criador do universo. Um Deus modesto, amantíssimo e caridoso, mas que exigia que os humanos o amassem e o temessem acima de todas as coisas. Um Deus bondoso, mas incapaz de conceder perdão aos pecadores após a morte, condenando-os ao inferno por toda eternidade.

No lado positivo, a máscara do monoteísmo ético nos brindou com a vantagem da eliminação dos sacrifícios, tão necessários na máscara politeísta para aplacar a ira dos deuses. A máscara monoteísta concedia mais solidez e fidelidade ao comportamento individual. Surgiriam daí as grandes religiões monoteístas: judaísmo, cristianismo e islamismo. No lado negativo, a máscara do monoteísmo depositava poder absoluto nas mãos de um só Deus. Quando um povo precisava negociar com muitos deuses de outro povo, tinha mais flexibilidade e mais alternativas políticas de trocas. Mas negociar com um Deus estrangeiro único tornava o processo muito mais difícil.

A substituição do politeísmo pelo monoteísmo trouxe um paradoxo: um ser supremo, bondoso, onipresente, onisciente, responsável pelo universo precisava conviver com o demônio, seu inimigo e rival. Surgiram assim o dualismo do bem e do mal e a consolidação da dicotomia matéria e espírito. Quanto mais se exaltava a glória de Deus, mais enegrecida tornava-se a vida material. A matéria assumia uma função subalterna, e a face material do homem, seu corpo, tornava-se imundo e desprezível.

Surgiam variações da máscara divina, que desabrocharam nas religiões proféticas (confucionismo, maometismo, judaísmo), nas religiões dos sacramentos (cristianismo e hinduísmo) e na religião mística, o budismo, a única em que os deuses conseguem sorrir um pouco. (Aliás, por que os deuses das religiões monoteístas não podem ser alegres? Todos mostram um ar melancólico, entristecido ou de sofrimento em suas faces.) Os conceitos de veneração ou adoração a deuses variavam, mas as emoções resultantes de nossa estrutura paleolítica aparentemente mantinham sua intensidade.

A matéria inorgânica já não tinha vida. O mundo animista se extinguira. Com as religiões da máscara divina, a matéria orgânica seria desprestigiada e depreciada. O que passava a valer era o pós-morte, porque, imperfeita e imunda, a matéria viva era cheia de pecado.

A máscara geométrica

A busca prometeica por explicações naturais, não deístas, começou no mundo grego, por volta do VI século a.C., na Escola Jônica. Os jônicos eram filósofos contempladores, com linhas e estilos estéticos profundamente distintos de outros pensadores como Buda (Sidarta Guatama), Confúcio, Lao-Tsé e Zaratustra. Os gregos foram os artífices da grande guinada da aventura do pensamento, que viria a transformar definitivamente o caminho da evolução. O biólogo norte-americano Edward Osborne

Wilson denomina tal aventura de "encantamento jônico", que optou pela busca de uma realidade objetiva e unificada na natureza em vez de se valer da revelação.

A máscara geométrica grega tinha como característica principal a curiosidade de dissecar o mundo, especulando a respeito da natureza dos elementos e suas ligações. Para os teóricos, filósofos e contempladores, os deuses começaram a se distanciar. O jônico Tales de Mileto defendia que a Terra flutuava como uma rolha no mar primordial. Tales abandonou as explicações míticas, estabelecendo que a água era o elemento primordial, a origem de todas as coisas. Outros filósofos jônicos afirmavam que o elemento primordial era o fogo. Outros, como Empédocles, defendiam que tudo tinha origem em quatro elementos essenciais: terra, água, ar e fogo. Anaximandro sustentava que a matéria primeira era uma substância sem propriedades definidas, salvo sua indestrutibilidade e eternidade. Para ele, a Terra era um cilindro envolto pelo ar, que flutuava verticalmente sem precisar de apoio, por se encontrar no centro. Acreditava que as estrelas eram buracos no firmamento, na esfera de cristal, através dos quais se podia ver, de noite, o fogo eterno, a luz de Deus. Xenófanes colocava a Terra com raízes no infinito e afirmava que o Sol e a Lua não eram corpos materiais, e sim exalações inflamadas da própria Terra.[4] Quase vinte

---

4 Segue aqui o tempo aproximado de alguns pensadores gregos: o filósofo Thales de Mileto viveu entre 624 a.C. e 585 a.C.; Empédocles, entre 495 a.C. e 430 a.C.; Anaximandro, astrônomo e matemático, entre 610 a.C. e 547 a.C.; Anaxímenes de Miltero, entre 588 a.C. e 524 a.C.; o filósofo Xenófanes de Cólon, entre 570 a.C. e 460 a.C.

séculos depois, Galileu Galilei ainda sustentava que os cometas poderiam ser exalações atmosféricas.

A humanidade passava a apresentar as questões não mais a um oráculo, mas à própria natureza. Para os gregos, a Terra era redonda e as pessoas não caíam porque a Terra estava no centro e tudo era por ela atraído. Tudo passava a ocorrer por causas naturais e não em razão da interveniência divina.

No século V a.C., Anaxágoras afirmou que o Sol e as estrelas eram pedras incandescentes e a Lua, uma pedra fria. Os astros não eram mais deuses. Devido às suas convicções, o filósofo foi perseguido e exilado. A esse respeito, o jornalista Simon Sing escreveu em seu livro *Big Bang*: "Em 1683, o bispo John Wilkins comentou ser irônico que um homem que transformava deuses em pedras fosse perseguido por pessoas que transformavam pedras em deuses" (SING, 2006, p. 24). Curioso que esta observação continue válida até os dias de hoje em todos os campos de nossas percepções. O filósofo e matemático grego Pitágoras de Samos, no século VI a.C., foi um unificador, mesclando a matemática, a música e as formas geométricas. Com ele, medicina, cosmologia, mente e espírito passaram a constituir uma primeira e harmoniosa síntese que, depois, com os séculos, voltaria a se fragmentar. Para Pitágoras os números, as formas e a música formavam uma entidade filosófica básica.

Pitágoras inventou o tetracórdio (a lira de quatro cordas) e criou o conceito de harmonia, que quer dizer equilíbrio. Por isso, Pitágoras cuidava de um corpo doente com música, com um tom, para "afiná-lo". A palavra tônico, usada até hoje, herança da máscara geométrica, significa dar um tom ao corpo para revitalizá-lo, sintonizá-lo e harmonizá-lo. O universo se transformava então numa grande caixa de música, numa imensa harpa, ficando cada astro a girar ao redor da Terra a intervalos de distância correspondentes aos intervalos musicais. O intervalo entre a Terra e a Lua poderia representar um tom; o intervalo entre a Lua e Mercúrio, um semitom. O céu, repleto de música, era uma sinfonia secreta cujo sussurro só os pitagóricos podiam ouvir. Afinal, a harmonia pitagórica das esferas celestes era uma fantasia ou já um conceito científico? Vale a pena considerar que, antes de Pitágoras, ninguém tivera a ideia de que as relações matemáticas continham a partitura da melodia secreta do universo. Na máscara pitagórica, a Terra era o centro e, orbitando ao seu redor estavam, pela ordem de distância: Lua, Mercúrio, Vênus, Sol, Marte, Júpiter e Saturno.

O impulso grego às ciências naturais começou a perder vitalidade por volta do século IV a.C. com Platão e, logo depois, Aristóteles. Daí em diante ocorreu uma grande invernada intelectual que duraria cerca de 17 séculos: a Idade das Trevas. Platão afirmava que qualquer esforço para interpretar a natureza seria absurdo e estéril por sermos imperfeitos. O mundo seria das ideias e abstrato e, assim, para podermos realmente compreender o universo, teríamos de deixar a natureza em segundo plano.

Para Platão as classes sociais estavam definitiva e divinamente determinadas por Deus e, assim, os conceitos de mudança, de evolução ou mesmo de progresso não existiriam. Como Deus é perfeito, toda criação devia continuar da forma por Ele concebida. Um peixe será sempre um peixe; um plebeu, sempre um plebeu; um rei, sempre um rei. Deus definiu as classes sociais. Na sua obra *A República,* Platão afirma que Deus criara três classes: a do ouro, dos governantes; a da prata, dos soldados; e a dos metais inferiores, dos homens comuns. O conceito de mudança, de evolução, só resultaria em degeneração. Essa fobia pela mudança e hierarquia dos seres se arrastou por muitos séculos.

Aristóteles, discípulo de Platão, acreditava que a Terra era o centro de um universo finito, onde tudo tinha o seu lugar. Os planetas orbitavam em esferas cristalinas, a forma perfeita na natureza. Aristóteles tinha fé inabalável em um Deus puro, a causa primeira que dera origem e movimentava tudo. Afirmava que, para além da Lua, nada se alterava, sendo região imutável, perfeita e eterna. Era a região do domínio de Deus, onde tudo seria constituído da quintessência, o elemento mais puro. Deus regia o mundo lá de longe, depois das estrelas fixas. Para Aristóteles, quanto mais longe de Deus, maior a imperfeição.

Nosso mundo ficou amuralhado pela Lua. Para além dela tudo era perfeito e terreno dos teólogos e filósofos. Assim, no centro estava a Terra, habitada pelo homem, demasiado longe de Deus nas alturas, constituindo o domínio da imperfeição, da impureza, das transformações e centro de infecção. Bem no centro, abaixo da superfície da Terra, era o lar do diabo, o ser mais imperfeito por estar o mais longe possível de Deus. Era o mito do diabolocentrismo.

O Deus de Aristóteles regia o mundo lá do espaço da perfeição absoluta, depois da esfera das estrelas fixas. A gravidade, a queda dos corpos, em linha reta para baixo, existia pelo desejo da matéria de se tornar esférica e pelo pressuposto de que o estado da matéria é o repouso, devido ao seu peso. A terra, pesada, tinha que ficar no centro. Logo em seguida ficava a água que, sendo mais leve, flutuava sobre a terra. Depois vinha o ar e o fogo que, mais leves entre todos os elementos, tinham tendência a subir. Filosofia e ciências naturais começaram a se separar. Mente e matéria se diferenciavam.

Depois de Pitágoras, passaram-se cerca de três séculos até que surgisse um herege: Aristarco. O astrônomo grego, no século III a.C., propôs que a Terra girava em torno do sol e era dotada de um movimento de rotação. O pensador estava, portanto, retirando a Terra do centro do universo e colocando o Sol em seu lugar. A hipótese de Aristarco estava tão à frente de seu tempo que não pôde ser absorvida. Ele não conseguiu superar o mito antropocêntrico das máscaras mítica e divina e nem mesmo o geocentrismo de seus contemporâneos. O mundo não estava preparado para a percepção de Aristarco.

Já no século II d.C, Ptolomeu conseguiu organizar e conferir solidez ao geocentrismo com base em sua desengonçada concepção de epiciclos, as rodas detentoras de movimento circular uniforme, cujos centros orbitavam ao redor do Sol. O *Almagesto* de Ptolomeu, que seria lido e praticado até o século

XVI, é o pináculo da máscara geométrica, tendo permitido maior precisão nas previsões da posição dos astros. Depois de Ptolomeu, o mundo teria de esperar muitos séculos para demitir definitivamente a Terra do centro do universo, assim extirpando o Homem de sua posição geométrica espacial privilegiada. O heliocentrismo produziria grande revolução cosmológica que se estenderia por cerca de cinco séculos.

A máscara medieval

Na Idade Média os eclesiásticos sucederam os filósofos da Antiguidade no campo do pensamento. A Igreja assumiu o papel da Academia e do Liceu. No século XIII Tomás de Aquino aliou o cristianismo ao aristotelismo, numa tentativa de conciliar fé e natureza. A Terra permanecia no centro e os planetas orbitando em círculos perfeitos, esferas de cristal movimentadas pelos arcanjos, querubins e serafins. Depois dos planetas, a esfera das estrelas, seguida do *Primum Mobile*, movimentado por Deus, que residia no *Imperium*.

Estabeleceu-se também uma angeologia hierarquizada. Os anjos mais puros ficavam distantes do centro e, portanto, próximos do *Imperium*, região da perfeição. Os menos puros ficavam mais perto do centro. E entre a Terra e a Lua havia o Purgatório, uma região de transição entre o Bem e o Mal. Sobre a Terra estava o domínio das coisas imperfeitas: os homens e a morte. Nas entranhas de nosso mundo, ficava o Inferno, residência do demônio e das almas malignas. O céu azul era a iluminação etérea de Deus, e a noite pertencia a Satanás. A sucessão entre o dia e a noite marcava a luta entre o Bem e o Mal.

Ainda sob a influência do pensamento de Platão, o processo social continuava estagnado. A máscara medieval mantinha-se estribada. A realidade era imune à mudança e submetida a uma hierarquia determinada pelo desejo de Deus. Tudo era estático. A evolução e o progresso não podiam existir, visto que contrariavam o determinismo divino.

Assim como os anjos foram hierarquizados, organizou-se também uma hierarquia monárquica, com reis e duques. Assim, um plebeu jamais poderia galgar a escadaria da nobreza. Cabia-lhe apenas aguardar pela morte, quando poderia aspirar a uma vida superior no Paraíso, ou se condenar à tortura infinita no Inferno. O universo continuava finito no tempo, inspiração do Gênesis, e limitado no espaço pelo *Imperium*. Permanecia antropocêntrico, regulado por uma angeologia antropomórfica.

Em 1440 o cardeal e filósofo italiano Nicolau de Cusa se opôs à estrutura da máscara medieval. Se Deus é infinito e eterno, por que o universo também não o seria? O que fazia Deus antes da criação? Se Deus é onipotente, por que não eliminou o Mal? Se é onipresente, por que não estaria também no centro? Essas questões permitiram que o mundo amuralhado pela Lua começasse a desmoronar, e quem o fez foi um reformador puritano e conservador, tentando modificar os conceitos de Ptolomeu e de São Tomás de Aquino. Surgia o canônico Copérnico, que daria o impulso final ao pensamento heliocêntrico.

No século XVI, Copérnico, desmantelando o complicado mecanismo de relojoaria de Ptolomeu, destronou definitivamente a Terra do centro do universo, atribuindo-lhe movimento. No centro, colocou o Sol, estático. Com Copérnico, foi corrigida uma grande enfermidade do pensamento: ao arrancarmos a Terra do centro, destruímos a noção medieval de fronteiras sólidas e também a ideia de que o céu se movia. Posta a Terra em movimento e fora do centro, as estrelas poderiam estar a qualquer distância. Destituído de sua função de carcereiro, o céu finalmente se afastou.

Outras perguntas se fizeram ouvir: E agora? Que anjo movimenta a Terra? E o Demônio, onde está? Ele se deslocou para o centro (para continuar em posição mais distante do *Imperium*), ficando assim dentro do Sol, ou foi Deus que saiu do *Imperium* e se juntou ao Sol? A solução para essas questões foi inventar uma causa física. O Sol passou a ter uma força motora que movimentava os astros, dispensando os anjos da função de empurrá-los. O Demônio foi enxotado do centro, lugar agora pertencente ao Astro Rei, o Sol. Deus continuou nas alturas, e o Demônio foi posto no interior da Terra, já não mais no centro.

No século XVI, no crepúsculo medieval, o matemático e astrônomo italiano Giordano Bruno afirmou que o universo era de fato infinito e com uma infinidade de mundos habitados por infinitas formas de vida que celebrariam a glória de Deus. Condenado por heresia, o astrônomo acabou sendo incinerado na fogueira em praça pública. Algum tempo depois, com o auxílio de uma pequena luneta, Galileu Galilei viu pela primeira vez os buracos e as montanhas da Lua, as luas de Júpiter, as fases do planeta Vênus e as manchas solares. As observações de Galileu resultaram num golpe mortal ao sistema aristotélico e ptolomaico, tendo ainda dado início ao processo de retirar Deus dos fenômenos físicos. O economista e autor José Carlos de Assis, em seu livro *A razão de Deus*, ressalta que o início da revolução científica acabou sendo também a gênese dos processos libertários nas sociedades. Johannes Kepler, crente luterano e contemporâneo de Galileu, fixava as leis que seriam fundamentais para o início do que chamamos ciência moderna. Kepler, que herdara o acervo de observações do astrônomo dinamarquês Tycho Brahe, foi o primeiro a descrever os movimentos do céu de um ponto de vista puramente geométrico e a assinalar, definitivamente, uma causa física para os seus movimentos: o Sol movimentava os planetas.

Entretanto, Kepler continuava fiel ao criacionismo, assinalando a data de 27 de abril do ano 4977 a.C. como o nascimento do universo. Kepler entendia que deveria haver uma ordem no cosmo arquitetada por Deus. Mas que ordem seria essa? Por que só existiam seis planetas e não vinte ou trinta? E por que suas distâncias e velocidades são como são? E como combinar os dogmas da Igreja com as observações celestes de astrônomos como Copérnico e Tycho Brahe?

Certo dia, quando proferia uma aula para sua classe de alunos da escola protestante de Gratz, e já preocupado com especulações cosmológicas, aos vinte e cinco anos de idade, Kepler teve uma ideia, que lhe pareceu ser a chave do segredo da criação e ordem do universo. Na época de Kepler (a hipótese copernicana já era bem discutida entre pensadores), conhecia-se seis planetas que já giravam ao redor do Sol (Mercúrio, Vênus, Terra, Marte, Júpiter e Saturno)[5], e a geometria euclidiana constatava que só existiam cinco sólidos perfeitos no espaço tridimensional, sólidos simétricos, nos quais todas as faces são idênticas (tetraedro, cubo, octaedro, dodecaedro e icosaedro).[6] Associando essas informações, Kepler encontrou a solução da charada que o atormentava. Para explicar a estrutura do sistema solar, montou um modelo incrivelmente engenhoso. Ao colocar um daqueles sólidos dentro do outro e esferas entre eles, conseguiu acomodar o Sol e mais os seis planetas. Entre os cinco sólidos perfeitos existem seis espaços entre eles. "Por isso é que são somente seis os planetas e as distâncias entre órbitas eram as que eram". Eureka! Os seis planetas existem por determinação divina e não por acaso. Tudo se encaixava aproximadamente. Deus só poderia ter criado um mundo perfeito!

---

5 A terra deixou o centro e passou a ser um planeta e o Sol deixou de ser planeta e foi para o centro. Também a Lua deixou ser planeta e passou a rodopiar ao redor da Terra. Entretanto a referência para o calendário ocidental continuava sendo aquela configuração antiga de sete planetas (Lua, Mercúrio, Vênus, Sol, Marte, Júpiter e Saturno)

6 Sólidos perfeitos são os únicos sólidos fechados que podem ser formados com a mesma figura geométrica bidimensional (triângulos, quadrados e pentágonos). O cubo é constituído por seis quadrados; o tetraedro (a pirâmide) por quatro triângulos equiláteros; o octaedro por oito triângulos equiláteros; o dodecaedro por doze pentágonos; e o icosaedro por vinte triângulos equiláteros. No espaço tridimensional só são possíveis estes cinco sólidos perfeitos.

No centro, o Sol. Em torno dele, cada um dos sólidos perfeitos encaixados um dentro do outro (como as bonecas russas) e sempre com esferas inscritas e circunscritas àqueles sólidos nas quais os planetas "rolavam". A órbita, ou esfera, de Saturno envolvia um cubo, tocando todos os seus vértices. Dentro do cubo, tocando todas suas faces internas, existia uma outra esfera, a de Júpiter. Dentro desta esfera existia um tetraedro, esfera que tocava todos os seus vértices. Uma outra esfera tocava todas as faces internas do tetraedro que era aonde orbitava Marte. Entre as esferas de Marte e a Terra estava o dodecaedro; entre a Terra e Venus o icosaedro e entre Venus e Mercúrio o octaedro. Kepler havia resolvido o mistério do universo.

Uma ficção engenhosíssima, mas completamente insana, que só foi possível porque os recursos de observação e de conhecimento da época ainda não haviam identificado os demais planetas de nosso sistema solar. Um bom exemplo de como as limitações de nossas observações e as circunstâncias podem ser causa de nossa iluminação e de como as emoções nos ajudam para impedir que sejamos decadentes racionais. Mesmo equivocado, o raciocínio de Kepler explicava várias questões, confirmando inclusive que as distâncias entre os planetas e suas velocidades, medidas por astrônomos, coincidiam com as do seu modelo dos sólidos perfeitos encaixados.

Contudo, Kepler se viu diante de mais um dilema: como combinar o conhecimento empírico das órbitas elípticas dos planetas com o dogma de que esses movimentos deveriam ser circulares? Assim, o astrônomo recorreu a mais um estratagema. Para explicar as órbitas elípticas, concedeu espessura a cada uma das esferas. Neste modelo, as órbitas dos planetas estavam inseridas na espessura das esferas imaginadas entre esses sólidos. Dentro da espessura, a órbita de cada planeta tocava a parte mais próxima do centro da esfera e, depois de meio período da duração da revolução, tocava a parte mais distante do centro. Eram, portanto, órbitas elípticas e imperfeitas, mas inseridas numa esfera que representava a perfeição. Para Kepler, Deus era um geômetra. Esse esquema divino, com elegância criativa e religiosa, consta de seu trabalho denominado *Mysterium Cosmographicum* (1596). Este era o sonho pitagórico que Kepler jamais abandonou e com ele elaborou a matemática das órbitas. A hipótese poliédrica.[7]

Fundamentando-se na máscara geométrica, quase 20 séculos depois de Pitágoras, Kepler edificou a moderna astronomia por meio de um ardil engenhoso. O que põe por terra a crença de que o progresso da ciência é regido apenas pela lógica. A evolução da ciência nos evidencia que se um erro é cometido por inspiração, fundamentada em profunda observação e meditação, esse erro pode ter possibilidades de se transformar em um grande acerto. A razão pode ter

7 O escritor e filósofo Arthr Koestler chamou Kepler de "o divisor de águas" entre o mundo medieval e o moderno (e não Galileu nem Newton). James A. Connor comenta em seu livro *A bruxa de Kepler* que, enquanto Galileu observava, Kepler teorizava. Diz ainda que Kepler era cientista, filósofo e teólogo.

imensa carga emotiva e a criatividade requer, muitas vezes, certa demência e falta de informações. Kepler usou o místico medieval com o empirismo moderno. O pensador atira no que vê e muitas vezes acerta no que não vê por um *insight*, o que ilustra que o erro às vezes pode ser uma bênção. A máscara medieval entrava em inexorável ocaso por não resistir às novas percepções de Copérnico, Kepler e Galileu.

A máscara determinista

Depois do esplendor da máscara geométrica e do decadente longo sono medieval, o Renascimento acabou por viabilizar o pensamento de Newton, que viria a formular matematicamente a lei da gravidade e as leis do movimento. René Descartes já entendia, no século XVII, que a razão seria sempre predominante. Ele percebeu que o universo pode ser entendido através do uso da lógica, sendo assim racionalizável. Toda causa produz um efeito determinado. Muito tempo depois, já no final do século XVIII, o matemático, astrônomo e físico francês Pierre Simon Laplace acabou por estabelecer leis físicas racionais e deterministas. Laplace afirmava: "Já não preciso mais de Deus para explicar o universo; as leis de Newton, com seu cálculo infinitesimal, oferecem todas as explicações". O mundo adotava a máscara determinista, na qual tudo deve ser submetido à lógica e previsto pelas leis da mecânica clássica. Tudo estaria pré-programado, portanto, sem liberdade desde o *Fiat Lux* (o atual Big Bang), e assim não precisaríamos mais de Deus.

O determinismo atingiu o apogeu quando se deu a previsão matemática da existência de Urano, logo depois confirmada pela observação. Com o determinismo, o futuro poderia ser sempre previsto desde que conhecidas as condições iniciais e as leis básicas da dinâmica dos corpos em interação. Assim, de alguma forma, o futuro estaria embutido no presente, e o livre arbítrio seria uma utopia. Essas leis passaram a explicar tudo de forma determinista, mecanicista e racionalista.

O século XIX encontrou anjos caídos e o geocentrismo já completamente desacreditado. A Lua era cheia de buracos, os planetas não mais orbitavam círculos perfeitos e eram movidos pela força do Sol. O criacionismo dera lugar à teoria da evolução de Charles Darwin.[8] Enxotado, o Homem perdeu sua posição central no universo e seu parentesco com a divindade, passando a ter nos macacos os seus avós. Aliás, este fato sempre esteve na nossa "cara", e talvez por isso mesmo não víamos esta tão forte evidência. As máscaras sucessivas continuavam a humilhar o nosso preconceito chauvinista, transformando-nos em robôs violentos. Perdemos o sentido místico, mágico. A má compreensão do significado das máscaras fez de nós órfãos do universo. Em meio ao esplendor racional, o Homem se rendeu ao materialismo.

---

8 Charles Darwin (1809-1882), naturalista britânico, escreveu *A origem das espécies por meio da seleção natural*, *A descendência do homem e a seleção sexual* e *A expressão das emoções no homem e nos animais*, obras que deram início ao golpe fatal no dogma antropocêntrico. Darwin criou um novo paradigma nas ciências da vida.

Sem o entendimento da máscara de nossa época, ficamos destituídos de sentido para viver. A única solução que encontramos foi o desenvolvimento sem limites da individualidade, do egoísmo, da lógica e do determinismo. O ímpeto de sair-se bem a qualquer custo no mundo da excelsa matéria, numa busca desenfreada e insana de poder e prazer, é resultante da Máscara Determinista. Tão desprezada pela máscara medieval, a matéria adquiriu uma importância descabida em nossa sociedade, devido à falta de sentido moral da máscara determinista.

Quando a termodinâmica declarou definitivamente a morte térmica do universo, parecia nada restar a fazer além de acumular bens materiais e desfrutar dos prazeres mundanos. Dr. Jekyll (o médico) transformava-se no Sr. Hyde (o monstro). O tédio se alastrou. Movida pelo mecanicismo, pela lógica, racionalidade, termodinâmica e evolução darwiniana, a máscara determinista passou a intensificar a angústia do homem que, destituído de seus alicerces mágicos, éticos e estéticos, estava cada vez mais perdido no tempo e no espaço.

A mascarada – o baile eterno

Cada sociedade confere sua explicação particular a tudo que vê, reflete e sente. Porém, em períodos históricos nos quais o ritmo de substituição das máscaras é por demais intenso, inúmeras "verdades" passam a conviver. Quando cada sociedade adota uma máscara diferente, elas entram em colisão.

Essa parece ser uma das causas dos conflitos humanos, se não for a maior delas. A coexistência de máscaras "verdadeiras", como que dançando num baile, confunde-nos e dificulta chegarmos a um razoável consenso sobre os fenômenos.

Muitas sociedades recusam-se a substituir suas máscaras, o que em geral resulta em dogmas. Justificados por revelações transcendentais, autoridade e tradição, os dogmas, ainda que de certa forma sejam estabilizadores do processo civilizatório, representam grandes obstáculos à expansão do conhecimento e da evolução. As respostas, supostamente "certas", que pretendem ser a Verdade, colocam-nos em becos sem saída, enquanto as perguntas, por estimularem a dúvida e a curiosidade, endereçam-nos à evolução infinita.

As máscaras do universo nascem, evoluem, amadurecem e decaem, deixando resíduos. Por exemplo, a astrologia, uma interpretação da remota Antiguidade para o funcionamento do universo, permanece em nossa sociedade. Sua herança está na seção de horóscopos dos jornais. Nossa sociedade também convive com heranças dos mesopotâmios, egípcios, gregos, judeus, romanos e europeus medievais. A contemporaneidade convive com resquícios de todas as máscaras anteriores, com infinitas variações de tons e detalhes. Embora ainda usemos máscaras antigas, perdemos as cosmologias que as suscitaram e que em seus respectivos tempos foram úteis ao processo de evolução do Homem. As inúmeras máscaras vigentes tornaram a sociedade excessivamente objetiva, lógica, materialista, narcisista e obcecada pela eficiência e pelo prazer.

Essa voracidade está promovendo o assassínio generalizado, incluindo o da Mãe Terra. Necessitados de orientação e equilíbrio, buscamos por um rumo mais adequado ao nosso processo evolutivo. Mais uma vez precisamos esgarçar os limites de nossas percepções para moldar uma nova máscara. Uma nova visão de mundo que, embora transitória, conceda-nos sobrevida e novas possibilidades evolutivas. Cada mito exige a morte ou a superação do mito anterior, como cada teoria exige a morte ou a superação da que lhe antecede, pois tudo é transitório, até mesmo as crenças mais profundas. Como disse Stephen Greenblatt em seu livro *A virada* (2011): "A existência não tem fins nem propósitos, existem somente uma criação e uma destruição incessantes, governadas inteiramente pelo acaso."

2

UM PROCESSO CÓSMICO

Deus não joga dados com o universo.
(Albert Einstein)

Não só Deus joga dados com o universo,
como joga-os em lugares
onde não podemos ver o resultado.
(Stephen Hawking)

Há muito tempo, o homem primitivo se viu diante de um tabuleiro e várias peças. E lhe foi dito: "Descubra a regra do jogo". Essa fábula resume a mais fascinante característica do ser humano: sua obstinada curiosidade de compreender o mundo. O universo é um imenso tabuleiro com muitas peças, mas nenhum manual de instruções que ensine o jogo. Estamos sempre em busca de novas regras para esse jogo, visões provisórias que, para os fins deste livro, convencionamos chamar de "máscaras".

O Homem inicialmente interpretou o universo apoiando-se nos milagres, no invisível, nas forças ocultas e nas crenças: as máscaras mágica, mítica, divina e medieval, sobre as quais discutimos no capítulo anterior. A partir do século XVII, passamos a considerar o universo como inserido numa matriz de causa e efeito, quando todos os fenômenos são determinados por seu estado anterior e pelas leis naturais e universais. O presente estabelece os estados futuros, não podendo existir, portanto, o livre-arbítrio. Se tudo é pré-determinado, se há um destino, a liberdade seria uma utopia. Nascia a cosmologia determinista, que proporcionou precisão admirável na previsão de fenômenos em nossa escala de tamanhos (espacial e temporal), base para a primeira máscara cujo apoio residia na ciência.

A máscara determinista obteve a sua última grande conquista com a formulação da Teoria Geral da Relatividade, que explica como o universo funciona no macrocosmo. Logo após, quase concomitantemente, foi desenvolvida a mecânica quântica que, não se submetendo aos princípios deterministas, acabou por esclarecer muitos fenômenos que ocorrem no microcosmo, até então inexplicáveis.

O Homem esboça agora uma nova máscara. Ela promete analisar o universo **sob a ótica das fusões**, que trata das simbioses para a edificação de complexidades crescentes da matéria, fazendo surgir propriedades inéditas; **sob a ótica das incertezas e dos acasos**, para melhor entender as instabilidades e o indeterminado que se apresentam em todos os fenômenos; e **sob a ótica da relatividade e do mundo pluridimensional,** eliminando os conceitos absolutos.

Há um consenso científico sobre os sistemas fechados, os que não trocam energia com outros. Eles tendem a caminhar para estados cada vez mais simples, pobres, homogêneos, previsíveis e desorganizados, fenômeno este denominado de "aumento da entropia".

Entropia é uma grandeza da termodinâmica que mede a desordem interna e irreversível dos sistemas, valor que sempre cresce nos sistemas fechados. Mas nos sistemas abertos, que trocam energia com outros, que pode ser o caso de nosso universo, a tendência aponta para a evolução de sistemas mais complexos, ricos, heterogêneos, imprevisíveis e organizados. É a ação da neguentropia, o oposto da entropia. Por isso devemos lembrar que, além do infinitamente pequeno e do infinitamente grande, temos que levar em conta outra dimensão, a do infinitamente simples e a do infinitamente complexo, o inconsciente e o consciente.[9]

Hoje, mesmo dispondo de entendimentos mais profundos do que os alcançados por nossos ancestrais, ainda engatinhamos em nossa jornada de indagações sobre as "regras do jogo". Apresentaremos uma versão panorâmica de um possível processo cósmico, segundo nosso atual estágio de conhecimento científico. É um processo de fusões permanentes

9 O mundo de nosso cotidiano, o mundo de nossa escala de tamanho, continua obedecendo às leis da teoria da mecânica clássica de Isaac Newton (1642-1727). Newton criou o cálculo diferencial e integral, a teoria corpuscular da luz e, principalmente, a lei da gravitação universal e os fundamentos da dinâmica que funcionam de forma espetacular em nossa escala de tamanho. No microcosmo, essas leis não funcionam; daí ter surgido no início do século XX a mecânica quântica. Ainda no século XX surgiu a Teoria do Caos, que trata das estruturas complexas.

que edificam estruturas cada vez mais complexas e que atua em várias escalas de tamanho de nosso universo, podendo assim servir de sólido alicerce para uma nova visão de mundo, uma nova máscara.[10]

A fusão física

O nosso universo teria começado com um grande estouro ou Big Bang, metaforicamente falando. Esse fenômeno, segundo o modelo dinâmico do universo, ao que tudo indica, teria tido início há 13,72 bilhões de anos, dando a partida na geração de partículas e antipartículas elementares, matéria escura, núcleos atômicos, átomos neutros, galáxias, nebulosas, estrelas, cometas, planetas, moléculas, tecidos e organismos vivos. Um longo processo que resultou, pelo aumento da complexidade, na emergência da inteligência reflexiva – a estrutura viva que tem consciência de sua própria existência e que reflete o mundo exterior dentro de si.

O Big Bang é um modelo científico alicerçado em várias teorias edificadas nos séculos XIX e XX, particularmente a da relatividade geral, que trata do macrocosmo. Foi inicialmente concebido no entorno na década de 1920 pelo abade e astrônomo belga Georges Lemaître e pelo meteorologista russo Alexander Friedman, que, ao estudarem soluções das equações

10 O desenvolvimento do pensamento cosmológico passou também a não dar muito crédito a nosso senso comum, que sempre nos confundiu, e nem aceitar ideias fundamentadas na tradição, na revelação e na autoridade e em outras formas míticas e em crendices dogmáticas do pensamento abstrato.

de Einstein, demonstraram que o universo não poderia ser estático. O tecido do espaço estaria ou se expandindo ou se contraindo. Em 1929, Edwin Hubble, do observatório de Monte Wilson (EUA), concluiu que o espaço encontra-se em expansão. O Big Bang não é como uma explosão dentro de um espaço preexistente, mas sim a expansão do próprio espaço que afasta as galáxias umas das outras, como pingos de tinta se separam na superfície de um balão sendo inflado.[11] Nesta imagem bidimensional, a superfície é como a borracha preexistente de um balão que começa a se esticar. Em 1948, o modelo foi reformulado pelo físico George Gamow e desde então vem sendo aprimorado e validado por inúmeras observações, análises, teorias e experimentos.[12] Entretanto, no século XXI começaram a tomar corpo novas interpretações que transcendem ao escopo deste livro.

Segundo o modelo do Big Bang (que foi preponderantemente adotado e com quase exclusividade durante as últimas décadas do século XX), no começo existia apenas um ponto primordial de energia pura, com altíssima temperatura e densidade. O ponto primordial, também conhecido como singularidade, era perfeitamente simétrico e homogêneo, mas dotado de uma leve, e ainda inexplicável,

---

11 Segundo essa noção, um observador localizado em um dos pontos de tinta não teria apenas a impressão de que se encontra no centro de tudo, como também veria todos os pontos se afastando dele enquanto o balão infla.

12 Georges Henri Joseph Édouard Lemaître (1894-1966), físico belga; Edwin Hubble (1889-1953), astrônomo americano; George Gamow (1904-1968), físico ucraniano.

tendência a se expandir. Foi essa tendência, causada por razões ainda em debate, que deu início ao parto do *nosso* universo.[13]

O começo de nosso universo (se é que houve) ainda é especulativo. A ciência tem demonstrado, com razoável precisão, o que ocorreu microssegundos após o Big Bang, mas não o que ocorreu no instante e o que ocorria antes. Especula-se que a mencionada "mínima tendência à expansão" promoveu uma inflação exponencial elevadíssima que resultou na queda da temperatura do suposto ponto primordial, fazendo surgir em seu interior inúmeras flutuações (descontinuidades) que, por sua vez, deram origem a uma quantidade incomensurável de partículas e antipartículas. A nanoexpansão exponencial e violenta (ocorrida durante um intervalo de 10^{-32} segundos do início de tudo) viria a se transformar numa expansão lenta e constante. Imediatamente depois do Big Bang, as quatro forças fundamentais da natureza começaram a se manifestar e que iriam estruturar a matéria: as forças de curto alcance – forte e fraca – que são significativas no interior do núcleo atômico; a força eletromagnética que associa elétrons a núcleos e os átomos entre si; e a força de relativamente longo alcance, a da gravidade, cuja intensidade determina a curvatura da geometria do espaço-tempo. Nesse ponto se iniciou a formação dos blocos fundamentais da matéria que,

---

13 Empregamos o pronome possessivo "nosso" para deixar em aberto a possibilidade de terem existido infinitos pontos primordiais que, por aleatoriedade, deflagraram a origem de infinitos universos. Tudo indica que esses pontos primordiais continuam a pipocar. A cosmologia tem se ocupado bastante desse tema, apontando que não existiria somente o nosso universo, e sim um multiverso, ou universos paralelos.

por alguma razão, superaram as antipartículas.[14] Sobrariam as partículas elementares materiais que conhecemos até agora: quarks, léptons (elétrons e neutrinos), gluôns, grávitons, fótons e matéria escura.[15]

Segundo a percepção atual da ciência, nasceriam, além das mencionadas partículas elementares e das forças fundamentais, o espaço (com três dimensões) e o tempo, que imediatamente começou a transcorrer. Começava um processo de geração de complexidades crescentes da matéria e energia com o universo lentamente se expandindo. Porém, há indícios de que o Big Bang não é o início, o "fiat lux", mas sim uma transição de fase. Uma "máscara", certamente transitória. Talvez o universo seja realmente eterno, como lembra o físico brasileiro Mário Novello[16]. Ou ele talvez seja outra coisa, que ainda não sabemos perceber devido à nossa minúscula e limitada inteligência.

Dada a contínua expansão, os quarks não conseguiam viver sozinhos no "frio" que avançava. Com a intermediação das partículas denominadas glúons, que atuam como partículas

---

14 Antipartícula ou partícula subatômica designam uma concentração de massa cujas dimensões são desprezíveis em relação às dimensões espaciais envolvidas no problema. Apresentando massa, spin e paridade de particula, as antipartículas possuem também campos eletromagnéticos contrários, assim constituindo a chamada antimatéria.

15 A realidade que conhecemos até agora é constituída de férmions e bósons. Os férmios são os quarks, prótons, nêutrons, elétrons e neutrinos. Os bósons são as partículas que conduzem energia, como os fótons (mensageiros da luz), grávitons (mensageiros da gravidade), W+ e w- (mensageiros da radioatividade, força fraca) e os gluôns (mensageiros da força forte).

16 *Do Big Bang ao universo eterno*, editora Zahar. Rio de Janeiro, 2010.

pegajosas (como cola), os quarks se aglutinaram. A interação e a fusão dos quarks geraram, entre outras, as importantes partículas da matéria denominadas prótons e nêutrons. Enquanto a temperatura mantinha-se muito elevada, tais partículas permaneceram agitadas, colidindo e esbarrando-se com os elétrons livres e os fótons.

A nucleossíntese primordial

Antes que o universo completasse três minutos de idade, e com a temperatura em permanente declínio, mas ainda elevadíssima, prótons e nêutrons estabeleceram nova e promissora parceria. Ao colidirem, não mais se separavam, mas se fundiam. Desse casamento nasceriam os núcleos de hidrogênio e hélio, bem como uma ínfima quantidade de núcleos instáveis (como lítio e traços de berílio). Essa época longínqua é conhecida como a da nucleossíntese primordial.

A temperatura, no entanto, ficou tão baixa, em termos relativos, que acabou impedindo a ocorrência de novas fusões entre prótons e nêutrons. Estes se afastaram tanto que, não colidindo mais, perderam a oportunidade de se juntar e constituir novos núcleos de matéria. O universo continha então cerca de 74% de núcleos de hidrogênio e 25,9% de hélio, proporções que desprezam outros núcleos (muito menos de 0,1%).

Com a expansão do universo, o esfriamento continuava. Muito depois, decorridos cerca de 400.000 anos do estrondo inicial, uma nova síntese originou os primeiros átomos neutros, quando os núcleos iniciais (constituídos de prótons e nêutrons) pactuaram com os elétrons livres. Quando a temperatura abaixou para um determinado valor, a força eletromagnética promoveu o acasalamento dos elétrons com os núcleos atômicos existentes. Dessa nova síntese, surgiram os primeiros átomos neutros, compostos de prótons, nêutrons e elétrons, com elevadíssima preponderância dos átomos de hidrogênio e deutério (hidrogênio pesado). Assim terminava a síntese inicial do universo. Os átomos de hidrogênio e hélio, criados nessa época, estão presentes em todos os objetos e corpos materiais que existem hoje.

Antes de prosseguirmos na dramaturgia das sínteses posteriores do universo, vale comentar que se alguns parâmetros, quantidades ou constantes físicas - tais como a intensidade das quatro forças fundamentais existentes (gravidade, eletromagnética, força forte e força fraca), o valor das cargas elétricas e das massas das partículas elementares, a quantidade de matéria escura, a taxa de expansão do universo, o valor da velocidade da luz, as suaves descontinuidades da matéria no espaço inicial, entre outros - tivessem sido minimamente diferentes, teríamos hoje outro tipo de universo, com outros tipos de estruturas. Decerto as estrelas não seriam como são e nós não estaríamos aqui como somos. Afirmam, entretanto, os defensores do "princípio antrópico", que tudo estava pré-sintonizado para que aparecêssemos no universo da forma como somos.

Teriam realmente aquelas características iniciais, com seus valores específicos, o objetivo de nos originar? Haveria uma intenção da natureza em proporcionar o nosso aparecimento, bilhões de anos depois do Big Bang? Ou tudo surgiu por uma sequência de circunstâncias e acasos entre infinitas outras possibilidades? Tais questões permanecem em aberto em vários domínios do conhecimento, como a filosofia, a religião e a própria cosmologia.

O nascimento das galáxias

Após cerca de um bilhão de anos do Big Bang e por ação da força da gravidade em regiões heterogêneas do universo primitivo, surgiriam incontáveis condensações da matéria inicial (átomos de hidrogênio e hélio). Em termos gerais, essas gigantescas estruturas adquiririam movimento de rotação, o que refreou o processo de concentração contínua por gravidade e promoveu certa estabilidade. Essas condensações estáveis de matéria no espaço – praticamente de hidrogênio e com poucos detritos dos átomos primordiais criados com a expansão – são denominadas galáxias.

As galáxias se reuniriam em grupos (possivelmente pela atuação da energia escura) que, por sua vez, formariam supergrupos. Bilhões de supergrupos de galáxias acabariam por constituir o universo que conhecemos e que continua se expandindo. Porém, no interior das galáxias, surgiriam bilhões de minidesequilíbrios ocasionados por forças gravitacionais.

Tais desequilíbrios formariam ali novas concentrações de matéria, as nebulosas.[17]

No interior das nebulosas, minidesequilíbrios internos, mais uma vez, colocaram o processo cósmico de parcerias em operação, fazendo surgir, naqueles pontos de desequilíbrio, bilhões de massas gasosas separadas. Massas que iriam, por força de um amor gravitacional que as apertava, pouco a pouco transformar-se naquilo que chamamos estrelas. E as nebulosas tornavam-se então berçários de estrelas, faróis celestiais que levariam luz a alguns pontos da imensidão do espaço escuro.

Desequilíbrios foram sempre criadores de novidades no universo, como a aparente luta de todos os opostos que acabam formando, paradoxalmente, uma unidade criadora. Apresentaremos dois exemplos desta união de opostos nos capítulos "Ordem e desordem" e "Competição e cooperação". Os desequilíbrios criam e os equilíbrios mantêm a novidade por algum tempo até o aparecimento de uma contingente destruição (desequilíbrio) que dá origem a uma nova criação (equilíbrio) que terá duração temporária. O mesmo tipo de fenômeno, conforme veremos mais adiante, também ocorre com os seres vivos.

---

17 Tudo indica que o universo funciona em todos os seus níveis estruturais segundo um movimento triádico contínuo: Emergência (criação, ideia), Divergência (expansão, multiplicação e variedade) e Convergência (equilíbrio, estagnação, declínio e extinção). Esse movimento triádico se repete *ad infinitum*. A nossa vida individual também atende ao mesmo movimento triádico: nascemos (Emergência), crescemos e nos multiplicamos (Divergência) e entramos na maturidade, no envelhecimento e na morte (Convergência). Assim, toda morte dá início a uma nova vida, a uma nova emergência.

Os filhos das estrelas

Dispondo apenas de átomos elementares (hidrogênio e hélio), o universo seria incapaz de gerar estruturas mais complexas. O processo cósmico de criar complexidades crescentes, entretanto, continuaria a gerar novos filhos, novos átomos. Os úteros das estrelas começaram a gestar uma nova síntese. Um novo processo de geração de complexidades se iniciava pelo processo cósmico de fusões e parcerias. Os átomos de hidrogênio espremidos no ventre dessas primeiras estrelas começavam a se apegar, a se fundir, em função das elevadíssimas temperaturas e pressões ali existentes.[18] Bolinando-se, os átomos acabaram por se associar num processo de fusão nuclear, formando no centro da estrela mais átomos de hélio – fenômeno que libera enorme quantidade de energia.

A força da gravidade das estrelas e a força de irradiação da energia resultante da fusão dos átomos de hidrogênio de seu interior mantiveram-se equilibradas por algum tempo. Enquanto perdurava a fusão do hidrogênio em hélio, liberando energia que contrabalançava a força gravitacional, as estrelas permaneciam em relativa estabilidade, como normalmente ocorre no começo de toda parceria. Este é o caso do Sol, uma estrela recente, nascida no último terço da

18 Depois que a temperatura no universo baixou, logo após a expansão súbita, não foi possível fundir prótons e nêutrons para formar elementos mais pesados do que o hidrogênio e o hélio. O universo teve que esperar muito tempo para que gerasse focos de concentração de matéria (estrelas), em que as temperaturas pudessem se elevar o suficiente para reiniciar o processo de fusão nuclear e dar nascimento a novos átomos.

idade do universo que, para nossa sorte, mantém-se de certa forma estável.

À medida que os átomos de hélio vão ocupando o centro da estrela, os átomos de hidrogênio ainda existentes formam uma camada externa. A essa altura, a temperatura no centro da estrela não é suficiente para dar início a uma fusão nuclear de átomos de hélio, que requer temperaturas mais elevadas. Não havendo tal fusão, as forças de irradiação provenientes do centro ficam enfraquecidas e perdem para a força da gravidade. É então que se rompe o equilíbrio anterior entre gravidade e radiação. A força da gravidade volta a superar a pressão de irradiação resultante de fusões atômicas e a estrela mais uma vez encolhe, espremendo os átomos de hélio do seu interior.

Com o encolhimento da estrela, resultante do predomínio da força da gravidade, suas pressões internas tornam a aumentar, produzindo enorme calor que leva os átomos de hélio a colidirem e se acasalarem por fusão, formando átomos de carbono. Assim começa a se desenvolver uma estrutura estelar semelhante a de uma cebola, com múltiplas camadas. Surgem átomos de carbono no centro e, ao seu redor, camadas de hélio e hidrogênio.

A fusão dos átomos de hélio em carbono gera energia de irradiação que volta a contrabalançar a força da gravidade, permitindo que a estrela retorne a um estágio de equilíbrio temporário.

Transcorrido algum tempo em equilíbrio, os átomos de carbono passam a ocupar cada vez mais o núcleo da estrela, cuja temperatura não é suficiente para a sua fusão. O equilíbrio entre as forças é mais uma vez rompido, e um novo ciclo de contração se inicia, fazendo com que a temperatura no interior da estrela volte a aumentar. O processo de contração, estabilidade e de nova contração repete-se até formar outros elementos mais pesados, como nitrogênio, oxigênio, cálcio, magnésio, entre outros. Dependendo da massa da estrela, esse processo pode levar de milhões a bilhões de anos. Quanto maior a massa da estrela, mais rápido o processo.

Após bilhões de anos de vida as estrelas de menor porte apagam e morrem, juntamente com todas as espécies de átomos que conseguiram gerar e amealhar em seu interior. Essas estrelas não legam herança alguma nem liberam seus filhos (os átomos nelas gerados), apenas dispersam algumas partículas através do vento estelar.[19] Quando morrem, tudo se perde em seus sarcófagos. Falta-lhes certo grau de instabilidade, provocada por alianças estranhas de opostos, como gravidade e força de irradiação, que costuma gerar novidades.

Mas o processo cósmico de fusões tem alternativas O processo cósmico gera também grandes aglomerados de matéria em muitos rincões das galáxias. Surgem ali estrelas supergigantes, altamente ricas em matéria. As superestrelas percorrem os mesmos passos já descritos, com maior rapidez. Mas elas possuem tanta massa que atingem um ponto em que

---

19 Vento estelar é a emissão contínua de partículas carregadas de energia, provenientes da coroa das estrelas. Essas partículas podem ser elétrons e prótons, além de subpartículas, como os neutrinos. Exemplos dos efeitos do vento solar são as caudas dos cometas, que têm a sua orientação definida pela direção do vento solar.

a fusão de seus núcleos atômicos não consegue irradiar energia que contrabalance a enorme força da gravidade.

Nessas estrelas supergigantes o processo de contração gravitacional não se contém (as forças de irradiação da fusão de seus átomos e as centrífugas do movimento não são capazes de superar a força gravitacional em razão da enorme massa da estrela) e, em determinada fase, o astro acaba por desabar sobre o seu próprio peso. É como uma panela de pressão. A vida da supergigante termina numa enorme explosão, que espalha pelo cosmo sua matéria com todos os elementos já sintetizados pelas fusões anteriores. São as supernovas. A temperatura elevadíssima da explosão também sintetiza os núcleos de átomos ainda mais pesados que o ferro. Outros tipos de estrelas, como as novas e as anãs brancas, deflagram explosões de variadas intensidades, produzindo e espalhando no cosmo quantidades distintas de elementos.

Na ejaculação dos orgasmos cósmicos das supernovas, novas e anãs brancas, a poeira destas estrelas de primeira geração respinga, tais como espermatozoides, no útero das nebulosas existentes nas galáxias. Dessa gravidez cósmica nascem novas gerações de estrelas, todas agora com os novos investimentos realizados pelas estrelas ancestrais. Somos filhos de estrelas altruístas que sacrificaram a sua existência por nós. Isso foi um sacrifício cósmico. Os átomos que constituem tudo o que existe na Terra não foram fabricados nela, e sim transportados para cá no decorrer de diversos processos celestes. O prezado leitor pode considerar que átomos de carbono de sua mão direita e átomos de carbono de sua mão esquerda provêm de alguns tipos de estrelas ancestrais.

Da mesma maneira que fomos criados pelo sacrifício de estrelas antigas, que geraram em seu útero todos os elementos que nos compõem, estamos vivos graças à caridade de uma estrela de tamanho médio, o Sol, que espalha, ininterrupta e generosamente, massivas quantidades de energia em forma de fótons para sua vizinhança. O Sol é uma estrela em equilíbrio, no início de sua vida, que consome 4,2 milhões de toneladas hidrogênio por segundo. É a esse estado de estabilidade que devemos nossa vida e glória. Vivemos, sob todos os aspectos, às custas dos fótons que nos são doados pelo Sol. E ele não pede nada em troca pelo que faz. Essa enorme doação de energia é outro exemplo de como a generosidade é capaz de contribuir para a evolução do universo.[20]

O universo é a história estranha da energia e da matéria, em permanente acasalamento, em simbioses, fusões, parcerias, sínteses, consolidações e pactos que resultam naquilo que o padre, cientista e filósofo francês Pierre Teilhard de Chardin denominou "forças de amorização da matéria e da energia que resultam em estruturas cada vez mais complexas".

20 É oportuno lembrar que, sob certo ponto de vista, o genial Copérnico estava errado. O Sol não é o centro do universo, estático, como afirmou. O Sol é somente o centro do sistema solar e existem bilhões e bilhões de "sóis" espalhados somente no campo de nossa observação. A visão de Copérnico foi parcial e limitada, assim como limitadas são todas as percepções e conclusões de uma época. Portanto, nossa atual visão da origem e evolução do cosmo também é parcial e limitada. Nada é absolutamente correto ou definitivo; estamos sempre vergando máscaras temporárias.

Para enfatizar a metáfora da generosidade cósmica, vale a pena citar o que disse o cosmólogo Brian Swimme a respeito do altruísmo cósmico:

> No caso do Sol, temos uma nova compreensão do significado cosmológico do sacrifício. Ele está, a cada segundo, dando de si mesmo para tornar-se energia de que compartilhamos em cada alimento [...]. O Sol se converte num fluxo de energia que a fotossíntese transforma em plantas que são consumidas pelos animais. [...] As labaredas do Sol são, na verdade, a própria força do grande empreendimento humano. E todas as nossas crianças precisam aprender essa simples verdade: elas são a energia do Sol (SWIMME, 1999, p. 57-58).

Alvorada de novas sínteses

As estrelas que surgem nas nebulosas já grávidas dos resquícios das estrelas supernovas, novas e anãs brancas antigas dão início a uma nova fase do universo. Essas gerações de estrelas possuem a variedade de átomos que conhecemos, mesmo que em ínfimas quantidades.

Em torno das estrelas em formação nas nebulosas, gira uma enormidade de detritos, tais como ocorre com os anéis de Saturno. Por obra de diversos fatores, entre eles as forças gravitacionais, esses detritos acabam por se agrupar em certas localidades, dando forma a pequenas bolotas de matéria e gás: os planetas, satélites, cometas e asteroides.

A rigor, a única diferença entre estrelas e planetas é o seu tamanho. Se os astros forem pequenos, como os planetas o são em relação às estrelas, eles não irradiam luz, pois as pressões no seu interior não são suficientes para a fusão de átomos com a consequente liberação de energia. Os astros menores não possuem luz própria. A luz que vemos deles é luz refletida da estrela à qual eles orbitam. Claro que eles irradiam alguma energia, mas em comprimentos de onda muito maiores (ou em frequências muito mais baixas) do que os da luz, imperceptível aos nossos sentidos. Nos novos astros, que giram em torno de estrelas menores e mais estáveis, como o Sol, começa a surgir um novo processo de síntese da matéria, que não exige pressões e temperaturas muito elevadas. Em ambiente de temperaturas e pressões amenas, como ocorre em alguns planetas, que brilham com a luz emprestada das estrelas duradouras vizinhas, as forças de valência (eletromagnéticas) entram em forte atuação, encontrando outra forma de unir os átomos existentes. Os átomos começam a trocar elétrons e a se reunir, assim constituindo novos casais da matéria, como moléculas e células. O destino do universo toma novo rumo pelas forças contingenciais das sínteses, em todas as escalas de tamanho. É quando a vida começa a pulsar. A geração de vida, conforme a conhecemos, requer um processo longo, de bilhões de anos. O mundo não foi feito em seis dias e nem surgiu no dia 22 de outubro de 4004 a.C., às 9 horas da manhã, como afirmou, no século XVII, James Usher, bispo anglicano irlandês.

Todos os átomos que compõem os nossos corpos foram forjados no útero das supernovas, novas e anãs brancas, depois de alguns bilhões de anos da gênese. A única exceção é o hidrogênio, criado na síntese inicial do modelo do Big Bang. Afora o hidrogênio e um pouco de hélio, somos feitos da poeira criada no ventre calcinado das estrelas. Daí a importância de contemplarmos o universo, para melhor perceber nossas origens e adaptar nossa estrutura e conduta para a continuidade do fenômeno da vida reflexiva.

Somos o resultado desse processo cósmico e a ele totalmente integrados. Contudo, não nos damos conta disso em nossas vidas, pois átomos, estrelas e galáxias parecem pertencer a diferentes e longínquas dimensões do universo, que aparentemente não interessam ao nosso cotidiano. Ledo engano. A compreensão das novas regras que descobrimos durante o jogo, consequência de nossas dúvidas permanentes, será cada vez mais importante para a evolução da conduta da civilização neste planeta e da vida inteligente no cosmo.

Mesmo sendo uma obra inacabada, que não deve ter a pretensão adolescente de ser central no cosmo, temos um papel a desempenhar na edificação do processo evolutivo. Precisamos olhar com maior atenção para o universo, utilizando nossos dons detetivescos para tentar desvendar as regras do tabuleiro.

Porém, vale a pena recordar que todo bom detetive deve sempre duvidar das pistas que encontra.

A fusão química

Vivemos numa ilhota azul que orbita uma estrela amarela estável, de tamanho médio, localizada em uma espiral de uma galáxia. O Sol é uma estrela entre cerca de 400 bilhões (estimativa atual que tem oscilado entre 200 a 400 bilhões) de outras que compõem a Via Láctea, uma galáxia entre uma centena de bilhões de outras em nosso universo. Nossa ilhota azul está num endereço bem localizado, nem muito próximo e nem muito distante do equilibrado e generoso Sol. A missão Kepler, da Nasa, iniciada em 2009, tem por objetivo identificar planetas semelhantes à Terra. A missão vai pesquisar cerca de 150 mil estrelas em nossa vizinhança e tentar detectar vida inteligente nesses astros. Até julho de 2013 foram detectados 920 planetas de diversos tipos e tamanhos[21], dos quais cerca de 10% são parecidos com o planeta Terra. Tais pesquisas vão nos proporcionar grandes surpresas, que deverão nos ajudar na construção de uma nova visão da vida no universo.

Há 4,5 bilhões de anos a Terra é banhada, com certa estabilidade, pela energia liberada do Sol. Em nosso planeta se desencadeou uma frenética parceria química dos átomos aqui existentes edificando moléculas e células. Este fenômeno na

---

21 Aos que desejarem acompanhar a evolução destas descobertas, bastar entrar no Google "extra solar planets". As descobertas se aceleram dia a dia.

Terra começou a ocorrer por volta de 10 bilhões de anos depois do suposto Big Bang. A Terra recém-nascida nada mais era do que uma bola de lava fundida, um escombro no processo de formação do sistema solar. Esse estado de liquefação de elementos pesados provinha da energia do decaimento radioativo do urânio, tório e potássio, existentes no interior do planeta. Decorridos cerca de 700 milhões de anos de seu aparecimento, a Terra arrefeceu o suficiente para formar uma crosta de pequena espessura, cujos pedaços se deslocam sobre o magma, fenômeno conhecido como "deriva dos continentes".

As nuvens saturadas de vapor, constituídas pelas exalações do interior da Terra, começaram a se condensar em chuvas permanentes, que durariam centenas de anos. Com essa água condensada e a proveniente dos cometas que impactavam intensamente a Terra, formaram-se os oceanos. A atmosfera não continha ainda oxigênio e nem tinha a composição atual. Nas grandes erupções ocorridas nos primórdios, foram liberados do interior da Terra gases que iriam constituir um novo invólucro.

O acaso dotou nosso planeta de uma atmosfera de composição muito singular. Além disso, a distância do Sol possibilitava temperaturas amenas e razoavelmente estáveis para aquela época. Essa situação contingente, adicionada a outras tantas, favoreceu a combinação do carbono, hidrogênio, azoto, enxofre e silício e a existência de água no estado líquido. A química da matéria começava a entrar em exuberância depois do longo período da fusão física. Aumentavam as esperanças do processo cósmico na Terra.

Há cerca de 3,8 bilhões de anos a Terra começava gradativamente a arrefecer, permitindo o surgimento das primeiras moléculas. Em seguida, surgiriam as bactérias (também denominados de procariotas), conjunto de células sem núcleo, mas já dotadas de uma camada protetora (a membrana) que as separavam do meio exterior, para se defenderem e terem individualidade. A nossa pele é um razoável análogo da membrana das células. Ela não só protege os nossos órgãos do meio exterior, como permite trocas de energia com ele, dando-nos ainda individualidade. A pele separa o eu do não eu. Mas o eu e o não eu viriam ainda a se fundir por outro tipo de simbiose, que descreveremos mais adiante. As forças de fusão do processo cósmico não desistem. É a atuação da neguentropia, ou entropia negativa.

Pouco a pouco, por acasalamentos progressivos, as bactérias existentes nos oceanos primordiais e que respiravam e metabolizavam o hidrogênio ainda existente na atmosfera, deixavam como resíduos de seu metabolismo o oxigênio, que começaria a contaminar a atmosfera inicial.

A atmosfera hidrogenada da Terra se poluía pelos resíduos das bactérias primitivas. Depois surgiriam outros tipos de bactérias que se valeriam do oxigênio poluente para realizar seu metabolismo. E a vida deu uma guinada. Preparava-se a Terra para o advento da vida multicelular com a nova atmosfera, constituída de 21% de oxigênio. Nesse caso podemos dizer: "Viva a poluição do oxigênio, que acabaria por nos dar origem!" Um pouco mais ou um pouco menos de oxigênio e tudo seria diferente. Basta uma olhada nos demais planetas do sistema solar, principalmente os rochosos ou telúricos, como Mercúrio, Vênus e Marte, cujas atmosferas não possuem oxigênio livre nos níveis de nosso planeta.

Após dois bilhões de anos, as bactérias (os procariotas) uniram-se em simbiose, dando vida às células nucleadas (os eucariotas). As primeiras eram de um só núcleo (denominadas de protistas, organismos unicelulares). Estas se espreguiçariam por mais um bilhão de anos até realizarem uma nova fusão da matéria, originando os organismos multicelulares.[22]

Assim, com o pacto social interativo da multicelurização, surgiria a vitalização da matéria, por suas forças de amorização que formariam uma estrutura auto-organizadora, autorreprodutiva, autorreparadora e autorrenovadora, impulsionada por interações energéticas muito delicadas. O universo dava um novo passo em direção a complexidades maiores. Obedecendo ao cânone de progressiva união cósmica, surgiriam os organismos eucariotas multicelulares, como fungos, vegetais e animais, 600 milhões de anos atrás.

Os primeiros peixes surgiram há 480 milhões de anos; as primeiras plantas há 430 milhões; os primeiros répteis há 300 milhões; os primeiros dinossauros há 170 milhões, vindo a se extinguir há 65 milhões de anos. E mais: há 120 milhões de anos surgiram as primeiras flores; há 45 milhões, as primeiras

22 Organismos multicelulares são estruturas químicas muito mais complexas, verdadeiras federações de sistemas mais simples. Seu surgimento trouxe novas esperanças no retorno do investimento cósmico realizado até então.

baleias; há 38 milhões, os primeiros símios. Os primeiros hominídeos apareceram há 18 milhões de anos e nós, os calouros, há cerca de 200 mil anos. Todas essas manifestações de vida se desenvolveram com base na mesma tecnologia biológica inventada com as bactérias primitivas, nosso ancestral comum, apesar dos inúmeros eventos devastadores ocorridos. O último, acontecido há cerca de 65 milhões de anos,[23] extinguiu grandes animais, como os dinossauros.[24] Esta contingência abriu a possibilidade do desenvolvimento dos mamíferos. Todos os seres vivos são primos, temos o mesmo código químico e a mesma origem cósmica. A Lua, um astro sem luz própria, surgido logo depois da formação da Terra por causa de uma provável colisão com um dos grandes asteroides que circulavam na origem do sistema solar, é a responsável pela longa estabilidade climática de nosso planeta, condição para que a vida pudesse aqui evoluir. A Lua não é só dos namorados. Ela tem grande responsabilidade por nossa existência. Se,

---

23 Pelo impacto de um asteroide de cerca de 10 km de diâmetro que se chocou contra a Terra atingindo a Península do Yucatan, no México, causando tsunamis, terremotos, maremotos e ejetando fragmentos de rocha incandescentes que se espalharam pelo planeta provocando incêndios globais. Esses fragmentos e a poluição causada pelos incêndios acabaram por bloquear a luz solar durante muito tempo, o que provocou um congelamento mundial e eliminou grande parte da vegetação. Os animais maiores, mais vulneráveis, não resistiram. Em função desse período escuro, frio, de pouca vegetação e sem os enormes predadores, os pequenos mamíferos puderam se desenvolver. Um novo impacto desta natureza, hipótese que não podemos descartar, extinguiria a nossa civilização.

24 Os dinossauros dominaram o mundo por cerca de 160 milhões de anos, até serem extintos. O *Homo Sapiens* vem dominando o mundo há não mais de 200 mil anos, o que nos faz lembrar que, apesar de vulneráveis a eventos extremos, ainda estamos na infância de nossa espécie.

por alguma razão, a mencionada macroestabilidade for interrompida, a vida na terra pode desaparecer.

É bom lembrar que a forma mais fundamental de nossa relação com o universo é a luz. Ela transporta energia e informação para alimentar todas as estruturas universais que conhecemos, sendo assim a grande responsável pela fusão química que permitiu o surgimento e a manutenção de vida orgânica e psíquica. Enquanto a fotossíntese transforma a energia que vem do Sol sob a forma de luz em plantas que alimentam os animais, a análise do código da luz tem nos revelado a estrutura e a composição das estrelas e das galáxias. Apenas depois de mais de 200 mil anos de árduo e persistente aprendizado, desde que consolidamos a nossa posição de *Homo sapiens sapiens*, começamos a entender um pouco sobre as mensagens codificadas na luz que as estrelas nos enviam através de suas labaredas.

Este foi o resultado da experiência neste planeta da associação e das parcerias da matéria, que demandou processos sofisticados e entrelaçados para concretizar trocas de energia e informação, gerando, por fusões constantes, complexidades crescentes ao nível químico. E neste processo de complexificação foram surgindo, de forma irreversível, novas propriedades da matéria organizada nos denominados sistemas termodinâmicos instáveis, longe de estado de equilíbrio. Rochas, areia, cristais e montanhas, cujos átomos se interligam mas não se entrelaçam, não trocando intensamente energia com o meio exterior e sendo desprovidos de metabolismo, não têm animação e, portanto, não são criativos. Essas estruturas duram mais. As estruturas vivas, que trocam energia com o meio exterior com maior intensidade e possuem vigoroso metabolismo são muito mais complexas, interligadas e entrelaçadas. Assim, cheias de ânimo e muito criativas, são muito instáveis e duram menos. Uma bactéria é mais complexa do que a maior montanha do mundo e por isso dura pouco, mas se multiplica rapidamente, é muito criativa.

A fusão psíquica

Do processo cósmico de fusões e de sínteses contínuas nasceria na Terra, há cerca de três milhões de anos, o *Australopihtecus africanus*, primata bípede da família dos hominídeos, esboço do homem atual. Dava-se início a um novo tipo de partícula, de estrutura, o "átomo de psiquismo", o pensamento autoconsciente da matéria organizada. Ainda muito selvagem, o *Australopithecus* acabou se transformando no *Homo habilis*. Depois de adquirir gradativamente postura ereta, e passar por grande número de mudanças fisiológicas e sensoriais, tornou-se, há cerca de um milhão de anos, o *Homo erectus*. Bípede, teve seus membros anteriores liberados para explorar o mundo ao seu redor.

Um passo importante foi o surgimento, há pouco mais de 200 mil anos, do *Homo sapiens sapiens*. Este animal era munido de uma nova estrutura encefálica, um processador de informações inédito, principalmente no neocórtex, talvez um tumor (considerando a rapidez com que foi construído) que o capacitou à abstração, à solução de problemas complexos, à planificação e à aniquilação. Adquiriu vasta gama de habilidades, especialmente a do uso mais intensivo do fogo na preparação de alimentos, a capacidade de comer e não ser comido, de administrar organizadas e complexas unidades sociais e a adoção de crenças. Estes fatos permitiram um novo passo do *Homo sapiens sapiens*, sobrevivente dos últimos eventos extremos, que foi o de reiniciar um processo de expansão na Terra ao deixar a a África há cerca de 60 mil anos.[25]

Os átomos de psiquismo, ou matéria autoconsciente, começaram a se fundir em grandes moléculas e tecidos psíquicos, constituindo os aglomerados humanos - bandos, tribos, vilas, cidades e nações –, preparando agora um novo salto de síntese que, concluída, faria nascer a noosfera, o órgão pensante deste planeta.

O *Homo sapiens sapiens* é uma estrutura que não apenas sabe, mas sabe que sabe alguma coisa. Com ele foi iniciado o caminho para a reflexão. E é graças a essa estrutura que iniciamos um novo salto evolutivo: o prelúdio do espalhamento no cosmo dos átomos de psiquismo gerados na Terra, no Éden.

Tudo indica que a Terra não é, como pensávamos, um planeta com vida, mas um "planeta vivo", que no momento se encontra em fusão psíquica, depois de longo período de fusão

---

25 Há cerca de74 mil anos o supervulcão Toba, na Sumatra, entrou em erupção violenta alterando toda a superfície de nosso planeta. As plantas não conseguiram sobreviver, a temperatura média do mundo atingiu -15 graus centígrados e sobraram somente alguns milhares de humanos, a maioria no continente africano. Estes se espalharam e são nossos mais diretos ancestrais.

química. O planeta não é mais, definitivamente, uma mesa de jantar para as criaturas favoritas de Deus ou do mercado. Essa foi uma visão adolescente, que percebia o processo evolucionário sob uma perspectiva antropocêntrica e mecanicista, como se nós humanos fôssemos separados do resto do universo. Uma visão que nos levou a pensar que não temos nenhuma dívida com o esforço do passado e que, portanto, tudo que existe está aqui para nos servir[26].

A visão fundamental que nasce é a de que o planeta Terra não é propriedade humana. Entra em cena a percepção do processo cósmico, que vê tudo como uma coisa só, interligada e interdependente. Vislumbramos uma nova percepção política, econômica e espiritual, graças à instantaneidade eletromagnética da informação que, embora nos aflija e confunda, também nos ilumina e nos une em nova fusão.

O ser humano é uma espécie extraordinária, mas apresenta algumas falhas, naturais imperfeições resultantes da permanente cosmogênese. Todos os dias são momentos de criação. Sim, transição lenta e aleatória, mas com um vetor orientador para a complexidade. As falhas requerem a nossa atenção, pois podem perturbar os contínuos casamentos e

---

26 Charles Von Daren, em seu livro *Uma breve história do conhecimento*, menciona a história da criação dos judeus: "No início o Deus uno criara o Paraíso, de onde o homem, por sua culpa (ou antes por culpa da mulher), fora expulso. A partir daí, Deus disse ao homem que teria que trabalhar para sobreviver. Mas, como Deus gostava do homem, deu-lhe a terra e tudo o que esta continha para seu sustento e sobrevivência. A exploração dos reinos animal e vegetal era assim justificada por uma lei divina" (2012, p. 22).

fusões das novas estruturas psíquicas, que caminham para a criação de um organismo mais estruturado. É bom lembrar que recentemente habitamos um microscópico astro entre centenas de bilhões de outros, além de ocuparmos, neste planeta, um diminuto nicho da vida, da biosfera, que ocupa, por seu lado, uma pequeníssima fatia em sua superfície.

As fusões mais recentes

O processo cósmico se esforça para a fusão plena de todos os átomos de psiquismo. Uma nova forma de fusão, com vias à planetização de nossa espécie, está prestes a se realizar. Começamos a perceber que estamos todos inteiramente interligados com o universo. E nessa caminhada, impregnada de fusões, pactos e parcerias simbióticas, a humanidade vem se beneficiando com a criação de organismos internacionais, na nova dimensão da informação e da robótica, num mundo sem horizontes e sem rotas precisas, tudo voltado para a evolução, para a novidade, para o improvável.

O nosso passado recente foi marcado por fusões geopolíticas: União Internacional de Telecomunicações (UIT), União Postal Universal (UPU), Liga das Nações, Organização das Nações Unidas para a Educação, a Ciência e a Cultura (Unesco), Comunidade Europeia (CE), Organização das Nações Unidas (ONU), Fundo Monetário Internacional (FMI), Organização Mundial do Comércio (OMC), Banco Mundial, entre tantos outros embriões de organizações planetárias. Agora contamos com o auxílio das redes, a internet, que permite fusões psíquicas mundiais cada vez mais velozes e amplas, resultado da atuação do processo cósmico subjacente que, apesar das diversidades das partes, continua criando novas fusões.

A tecnologia moderna da informação vem estimulando a criação de comunidades ubíquas de telepresentes virtuais da internet, um cibermundo com novas fusões e vias psíquicas que continuarão a gerar diversidades de hierarquias cada vez mais complexas em nosso limitado planeta. Nada mais do que o mesmo fenômeno de fusão das células que compõem o nosso corpo e dos átomos que constituem as estrelas. Da mesma forma que as nossas células não sabem que pertencem a um todo maior, o nosso corpo, nós, átomos de psiquismo, ainda não percebemos a noosfera, a mente global que nos transcenderá, teorizada por Teilhard de Chardin.

O caminho da planetização

Por volta de 1850, a raça humana alcançou seu primeiro bilhão de indivíduos. Em 2012 chegamos aos sete bilhões. Ou seja: precisamos de apenas 162 anos para multiplicar por sete o número de indivíduos gerados desde a gênese até o ano 1850. Esse exponencial crescimento demográfico, aparentemente descontrolado e conduzido por paradigmas materialistas e tecnológicos e por crenças antropocêntricas, aumenta a tendência dos humanos a catástrofes (que pela destruição gera o provável e o comum), em oposição ao processo cósmico de fusões (que pela criação causa o improvável e a raridade).

Refletindo sobre esses sintomas, podemos compreender melhor o papel do acaso, do indeterminado e das fusões permanentes da matéria em estruturas cada vez mais complexas. Não devemos simplesmente prosseguir o processo chamado "globalização", mas sim continuar um esforço de planetização de nossa espécie, o que nos integrará com a vida e com o cosmo. Assim, iremos nos metamorfosear em novas estruturas, ainda inimagináveis, até a inevitável diáspora da nossa inteligência no universo. Isso, claro, caso sobrevivamos às crises que inevitavelmente irão surgir em nosso caminho.

Ainda que estejamos sujeitos a acidentes de percurso, naturais ou decorrentes da própria humanidade, o nosso sucesso é provável. Riscos imprevisíveis estão sempre presentes. As fusões da natureza sempre foram criativas e generosas, constituindo-se em sólidos alicerces para a inevitável evolução universal. Por isso temos chances razoáveis de sermos um elo importante na evolução da complexidade no universo.

Desde o Big Bang (ou a fase atual que observamos) o universo nos mostra que sempre evolui ao sofrer transformações e superar obstáculos. Tudo será diferente como diferentes somos dos nossos ancestrais biológicos, as bactérias. Através de crises, desequilíbrios, mortes e sínteses, tudo se altera e se torna mais complexo. Caminhamos para a gênese de estruturas muito improváveis e mais complexas do que nós. Somos apenas uma etapa intermediária, aguardando novas e inimagináveis fusões a serem realizadas pelo processo cósmico. Continuamos obcecados, tentando escrever o manual de instruções do tabuleiro e de suas peças.

3

METÁFORAS CÓSMICAS

Pense cosmicamente e aja globalmente.

Em astronomia, uma região rica do universo
é definida como uma que possui mais matéria que a média;
uma região pobre é a que possui menos matéria que a média.

Se a riqueza fosse distribuída de forma tão homogênea
que todos no mundo tivessem a mesma quantidade,
haveria pouco progresso, já que
só a riqueza concentrada pode correr grandes riscos.
(Joel R. Primak e Nancy Ellen Abrams)

Já comentamos algumas metáforas cósmicas, como o Sol altruísta e o sacrifício criativo das estrelas supernovas, novas e anãs brancas. Este capítulo abordará duas metáforas específicas, a "riqueza cósmica" e a "inflação cósmica", que podem nos ajudar a entender a transição de nossa visão de mundo. A inspiração é o capítulo "Pense cosmicamente, aja globalmente", de Joel R. Primack e Nancy Ellen Primack[27].

27 *Panorama visto do centro do universo – a descoberta de nosso extraordinário lugar no cosmos*, 2006, de Joel Primak e Nancy E. Abrams.

Segundo os autores, os fenômenos precisam ser interpretados com um novo olhar, que desanuvie o nosso horizonte de percepções envelhecidas. Temos que mudar a escala de nossos valores abstratos.

O que é mesmo uma metáfora? Chamamos de "raposa" uma pessoa astuta e esperta, e dizemos que um indivíduo inflexível tem a cabeça dura como uma "rocha". O indivíduo afável é "caloroso", e o insensível é "frio como gelo". Mas qual é a lógica disso, se na natureza é o calor que separa e o frio que une? O corpo é frequentemente citado como uma máquina, e o tempo associado ao dinheiro, duas metáforas insatisfatórias e impróprias. Uma máquina não mantém a si mesma, não se reproduz, não se autorrepara e não ama, como o humano. Da mesma forma, o tempo não pode ser economizado, como o dinheiro.

Lógicas ou ilógicas, atuais ou defasadas, as metáforas não são apenas figuras de linguagem que utilizamos cotidianamente para tornar as coisas mais claras. Elas têm como propósito permitir melhor entendimento de conceitos abstratos e estabelecer uma relação de semelhança lógica entre dois contextos distintos. É a transferência de uma palavra ou de um conceito para outro contexto correlato, para outro âmbito, de forma figurada, tendo ainda a função de iluminar, animar ou enfatizar observações. Metáforas não dizem respeito à lógica ou à precisão, que pertencem ao âmbito da ciência.

Quando empregamos metáforas cósmicas, vagueamos por conceitos abstratos e figurados que possam melhor despertar a nossa percepção do cotidiano e nos levar a pensar sobre o que estamos fazendo no mundo. Joel Primak e Nancy Ellen empregam duas metáforas cósmicas para apontar uma nova trilha de pensamento. A primeira, a riqueza cósmica, ilustra como a gravidade transforma as regiões ricas (ou seja, com mais matéria) em mais ricas e as pobres (ou seja, com menos matéria) em mais pobres. A segunda metáfora, a inflação cósmica, trata das taxas de crescimento do universo. Segundo os autores, a riqueza e a inflação cósmica podem nos sugerir uma nova forma de pensar a economia e a distribuição da riqueza em nossa sociedade.

Riqueza cósmica

Na astronomia, uma região do universo que possui mais matéria, mais massa, mais astros do que a média é denominada de região "rica". Já uma região "pobre" é aquela que possui menos matéria, menos astros do que a média. Assim, as estrelas são astros ricos, enquanto os planetas são astros pobres. Meteoros são paupérrimos, e a poeira cósmica é miserável.

Entretanto, o universo possui processos e mecanismos que evitam concentrações excessivas de qualquer natureza. A gravidade tem a tendência de tornar as regiões mais ricas em ainda mais ricas, e as regiões mais pobres em ainda mais pobres. À medida que o universo se expandiu, galáxias foram se formando nos locais de maior concentração de matéria. Da mesma forma, os locais mais pobres, menos densos, foram se tornando cada vez mais esvaziados.

É importante ressaltar que a gravidade concentra a matéria, mas apenas o suficiente para que o universo se torne complexo e interessante. Sabemos que se a gravidade concentrasse matéria sem parar, tudo acabaria em gigantesca explosão e num buraco negro. No entanto, se a gravidade não concentrasse matéria nas regiões ricas, esta iria se espalhar de forma homogênea pelo universo que, ficando assim desprovido de desigualdades, não permitiria a existência de galáxias, estrelas, planetas e seres vivos, como nós. O universo seria muito pobre.

Felizmente o universo ficou heterogêneo, cheio de desigualdades, zonas que possuem diferentes densidades, fato de importância crucial na natureza. A matéria das zonas de menor densidade vai, aos poucos, por atração gravitacional, migrando para as zonas de maior densidade. Estas zonas vão ficando cada vez mais densas e com maior atração gravitacional. Com este efeito multiplicador, as diferenças de densidade se intensificam e o processo é cumulativo. Se a gravidade não tivesse concentrado a matéria, só teríamos poeira cósmica e o universo seria homogêneo. Essa poeira espalhada e à deriva no espaço é miserável, não possui condições de gerar complexidades. É apenas poeira, matéria sem amor, riqueza, atração, energia. Não detém potencialidades, propriedades ou prosperidade.

Como já vimos no capítulo "Um processo cósmico", a concentração de matéria, inicialmente em forma de átomos, constitui as galáxias; em seguida, as nebulosas dentro das galáxias; e, por fim, as estrelas e os planetas dentro das nebulosas. Mas tal concentração sempre fica dentro de certos limites, por força do movimento e das forças de irradiação, como veremos adiante.

As estrelas são astros milionários, pois a matéria é ali muito concentrada. Nelas ocorre grande criatividade, o nascimento dos átomos mais pesados que o hidrogênio, que potencializam a evolução. Uma estrela rica é plena de luz e energia, utilizadas para possibilitar o surgimento da vida em astros mais pobres, como os planetas. Já no ambiente interestelar, que é muito pobre, nada é edificado. Falta energia.

Cabe aqui uma observação fundamental. No universo que somos capazes de perceber, o que compensa a ação da gravidade, para evitar riqueza demais, é, primeiramente, a quantidade de movimento adquirida pelas massas que se concentram. Uma estrela mantém-se estável, em determinado nível de riqueza, pelo equilíbrio entre a gravidade, sua quantidade de movimento e as forças internas de radiação de energia proveniente da fusão dos núcleos atômicos em seu interior. Movimento e radiação se opõem à gravidade. O movimento rotacional gera a força centrífuga que, juntamente com a irradiação de energia das reações atômicas no interior das estrelas, produz as tremendas forças de expansão que acabam evitando que a gravidade concentre matéria sem cessar, que levaria ao perigo de enriquecimento demasiado. Para se manter saudável por bastante tempo no universo, um astro não deve ficar rico demais. Assim, essas estrelas adquirem estabilidade em determinado nível de riqueza, possibilitando-lhes espalhar energia nos seus arredores, em inúmeros comprimentos de onda, ao criar novos átomos em seu interior. As estrelas ricas - que são estáveis - espalham energia em suas vizinhanças por bilhões de anos e assim podem permitir a eclosão de vida em astros pobres, próximos e apropriados. O curioso no universo é que a vida parece só emergir em astros pobres, alimentados que são pela energia de astros ricos, estáveis e altruístas.

Esse lento e estável processo de geração de energia permite a possibilidade de eclosão da vida nos astros que circundam as estrelas estáveis. Essas estrelas não continuam a enriquecer todo o tempo. Quando atingem certo tamanho, cessam seu enriquecimento e ficam estáveis, equilibrando os puxões a que estão submetidas e produzindo energia por longuíssimos períodos de tempo. Nessa situação de equilíbrio, o processo cósmico tem condições para a evolução da complexidade da matéria em outros astros.

Porém, nas estrelas de enorme massa, as gigantes (novas), as supergigantes (supernovas) e ainda nas anãs brancas, como vimos anteriormente, a gravidade continua atuando, independentemente do movimento e das forças de irradiação que tentam equilibrar o crescimento irrefreável da concentração da matéria. Viciadas em enriquecer sem cessar, ficando bilionárias, essas estrelas atingem níveis de alta concentração da matéria. A essa altura, as forças de irradiação de seu núcleo tornam-se tão fortes que, superando as forças da gravidade, fazem-nas explodir. Usando uma metáfora: elas abrem falência para criar.

Esse processo de falência estelar é raríssimo, ocorrendo aproximadamente de uma a duas vezes por século em cada galáxia. Um índice modesto de falência, dado o extraordinário número de estrelas do universo. Contudo, é graças a essas estrelas bilionárias que os novos átomos que lá se formam são espalhados no universo. Grandes conglomerados de riqueza, essas estrelas espalham sua fortuna - os novos átomos - para dentro de sua galáxia. Seus átomos vão sendo incorporados nas nebulosas e nas estrelas, em contínua formação em seus interiores. Esses novos empreendimentos celestes, com maiores recursos resultantes dos colapsos de focos bilionários, só produzem bons resultados nos locais onde existem estrelas ricas estáveis, em que a gravidade é contrabalanceada pelo movimento de rotação e pelas forças de irradiação, como mencionado.

E é somente ao redor das estrelas ricas, que mantêm estabilidade, com controle na concentração da matéria e no seu consumo, que os pouquíssimos átomos criados nas explosões das estrelas bilionárias conseguem se juntar e formar estruturas complexas. A estabilidade nesses empreendimentos estelares acaba permitindo que a vida se desenvolva em planetas de sua vizinhança. Também dentro da vida, a matéria continua a se concentrar e a se interligar, dando nascimento à consciência e à inteligência reflexiva que, por sua vez, acaba por se concentrar pelas forças da cooperação, constituindo sociedades. Se a nossa inteligência não houvesse se concentrado, não teríamos ido até a Lua, não possuiríamos milhares de naves trafegando no espaço, nem haveria a internet. Porém, todo crescimento tem seus limites.

Similarmente, se a riqueza em nossa sociedade fosse distribuída de maneira homogênea, com a mesma quantidade para todos, não haveria nem evolução nem desenvolvimento de estruturas complexas. Afinal de contas, apenas a riqueza concentrada, assim como a matéria concentrada e cheia de energia, pode correr grandes riscos de inovação, de geração de complexidade e de novas riquezas. Se pensarmos cosmicamente, tudo sugere que, nas sociedades, a tendência natural de concentração da riqueza deve também ser compensada de alguma forma, caso queiramos atingir uma estabilidade social e política, comparável a da estabilidade gravitacional das estrelas que nos permite evoluir no ritmo necessário.

Os super-ricos conglomerados econômicos de nossa sociedade mimetizam o exemplo das estrelas bilionárias. Em seu processo falimentar cíclico, os conglomerados disseminam toda a variedade de riquezas tecnológicas e humanas por eles gerada, que passa a se infiltrar em suas imediações, nas empresas menores (mais pobres), dando início a um novo processo evolutivo de complexidade. O universo tem, relativamente, poucas estrelas bilionárias, assim como as sociedades têm poucos bilionários, apenas o suficiente para a contínua inovação, intercâmbio e evolução. A existência desses focos bilionários, que causam desigualdade, é imprescindível à evolução.

Em boa parte do mundo, as desigualdades reinam e crescem. As áreas rurais se esvaziaram e as urbanas se concentraram, enriquecendo e consumindo progressivamente energia. Precisamos descobrir qual é o limite para tal concentração e consumo, qual é o contraponto. No universo, o contraponto da força da gravidade que atua nas estrelas é o movimento de rotação e as forças de irradiação que, compensando a tendência de concentração exponencial da matéria, evitam o colapso geral. Nas sociedades, os contrapontos podem ser, entre outros, o controle do crescimento demográfico, da poluição ambiental, do consumo, dos poderes de organizações e governos, das disputas territoriais, do acúmulo de armas e dos juízos abstratos, que devem se manter em níveis que permitam o crescimento estável e, portanto, o crescimento da complexidade. Se as atuais tendências continuarem a crescer sem limites, algo perigoso poderá acontecer. Algo semelhante à implosão e consequente explosão que cria um buraco negro no espaço sideral; algo que nos fará perder a estabilidade dinâmica necessária para prosseguirmos o processo cósmico de fusões.

Primak e Abrams afirmam que a procura pela prosperidade feliz e sustentável das sociedades, associada a uma revolução ética com o aperfeiçoamento de seus códigos de conduta, resultará na força que poderá manter a concentração da riqueza no limite necessário, para que não leve o equivalente econômico e social a um colapso gravitacional. É da natureza da vida a concentração da riqueza. É claro que existem diferentes tipos de riquezas, assim como diferentes tipos de estrelas. Se os astros pobres (os planetas) não aproveitarem as oportunidades dos mais ricos (as estrelas) para caminharem rumo à posição de maior afluência, eles ficarão cada vez mais pobres. Da mesma maneira, as desigualdades também têm limites.

O universo existe devido à cooperação dos diferentes, do heterogêneo, das desigualdades. É por isso que a nossa espécie precisa eliminar o preconceito racista, separatista. Não pode haver preconceito entre ricos e pobres, negros e brancos, crentes e ateus, fundamentalistas e pagãos, instruídos e ignorantes, bonitos e feios, magros e gordos, simpáticos e antipáticos. Precisamos tomar como metáfora o funcionamento do universo, onde as diferenças coexistem em certos níveis e concentrações para constituir uma unidade de maior complexidade. Se as concentrações e os níveis dos heterogêneos ultrapassarem níveis razoáveis, criaremos situações insustentáveis e estressantes que podem ser catastróficas. É difícil controlar esse processo, mas sabemos que é essencial para o bem maior da espécie.

O homem atual é, em geral, muito mais abastado do que foi desde a Pré-História até a Idade Moderna. Os que conseguiram ficar ricos foram oferecendo oportunidades, e muitos pobres souberam aproveitá-las. Se um planeta, ao orbitar uma estrela luminosa, não souber utilizar bem a riqueza por ela emanada, não vai conseguir evoluir em complexidade. O planeta Terra, por várias circunstâncias, entrou em estabilidade geológica e climática e, assim, pôde aproveitar a riqueza abundante doada pelo Sol para nossa evolução, o que não aconteceu com outros astros do sistema solar, ao menos por enquanto. A riqueza deixada à sua própria sorte funciona de certa forma como a gravidade: as estruturas ricas tendem a ficar cada vez mais ricas e as pobres a ficar cada vez mais pobres. Mas lembramos que em tudo há limites e os contrapontos devem ser respeitados, como faz o universo.

Inflação cósmica

A segunda metáfora empregada por Primak e Ellen é a inflação cósmica, o período em que o tamanho do nosso universo evoluiu exponencialmente, nanossegundos antes do Big Bang.[28] Durante a inflação cósmica, que teria sido um grande e veloz inchamento do ponto inicial da energia do universo, ainda não existia equilíbrio gravitacional.

A metáfora da inflação cósmica pode nos ajudar a entender o nosso próprio mundo, que durante o século XX viveu um período de taxas de crescimento exponencial e estonteante.

---

28 O Big Bang foi a passagem de uma expansão loucamente acelerada (fase denominada de inflação cósmica) para uma expansão lenta e constante. Foi esse relaxamento da expansão que permitiu, por bilhões de anos e com certa estabilidade, a formação das galáxias e estrelas. As estrelas dariam nascimento aos átomos mais pesados que o hidrogênio e o hélio, criados na gênese inicial, que permitiriam o surgimento da vida e da inteligência. Fenômeno semelhante ocorre na evolução da economia que, após qualquer fase de expansão muito rápida, é seguida de uma expansão mais lenta. No início do século XXI estamos presenciando esse comportamento, a economia parece estar relaxando após o intenso e rápido crescimento do século XX.

A humanidade praticamente quintuplicou seu nível demográfico, atingindo em 2012 a marca de sete bilhões de habitantes. Além disso, o uso de recursos energéticos da mãe terra está inflando muito mais rápido do que a população, estimulado por um marketing eficaz, mas irresponsável, que incita ao consumo progressivo e, portanto, perigosíssimo. Afirmam estudiosos que a humanidade consumiu mais energia depois da Segunda Guerra Mundial do que durante toda sua existência até o início daquele conflito.

Os problemas da contemporaneidade, aos quais estamos constantemente nos referindo, resultam do uso irrestrito de novos conhecimentos e de tecnologias pelos amantes da matéria. Carecemos de amantes da vida, que possam melhor abarcar o universo com sua mente. Como bem ilustrou Gilles Lipovetsky (2004), "a mão invisível do mercado providencialista, que supostamente o regula, precisa de luvas bem visíveis para precaver-se de seus próprios excessos", ao expor sua visão crítica dos tempos hipermodernos.

Por mais tênue que seja o nosso entendimento sobre o funcionamento do universo, sabemos que todo crescimento exponencial começa gradualmente, acelera e pode acabar de forma abrupta. Quando um limite é ultrapassado, os sistemas tendem a sucumbir e morrer. O universo pisou no freio, transformando a alta taxa de inflação cósmica inicial numa baixa taxa de expansão. Essa fase, que até agora se estendeu ao longo de bilhões de anos, permitiu a evolução do mais simples para o mais complexo. Se o universo não tivesse freado, não existiriam os astros que conhecemos e nem estaríamos aqui. Nós, humanos, precisamos seguir o exemplo do universo e conter nossas inflações, crescimentos e inchamentos exponenciais demográficos e econômicos. Precisamos pisar no freio, se queremos evitar um desastre.

Se não contivermos o desenvolvimento material progressivo e incessante, podemos nos ver diante de uma hecatombe. Não foi depois que se refreou para uma expansão lenta que o universo entrou em sua fase mais criativa? O recesso de nosso crescimento material talvez nos conduza a uma fase mais criativa e não o contrário, como costumamos pensar. Diz Primak em seu livro: "O fim da inflação é como o fim da adolescência: atinge-se a maioridade. Daí em diante, a prosperidade não deve ser mais física, mas intelectual, emocional e espiritual".

Primak e Ellen (2008) indagam: avançar lentamente significaria o fim do progresso humano? No paradigma econômico atual, a resposta seria "sim", porque se almeja um crescimento rápido e crescente. Crescimento lento e estabilidade foram considerados, até agora, como tendências funestas. Porém, o paradigma inflacionário, que busca o crescimento sem limites, é que parece ser um desastre anunciado. O crescimento mais moderado no uso da matéria e da energia, em nossa escala humana, talvez não seja um impedimento de crescimento da complexidade das estruturas e de suas relações, e sim um ponto de virada para a nossa espécie.

Após período de crescimento exponencial da humanidade a vida poderá continuar o processo de se tornar cada vez mais complexa e continuar a prosperar se encontrarmos uma taxa de crescimento mais lenta do que a do uso dos recursos da Terra.

O presente sempre está no banco dos réus. Tendemos a olhar para o passado e considerá-lo virtuoso, como uma época de ouro. Já o futuro é preocupante e ameaçador, com sombrias previsões catastróficas tecidas pelos pessimistas, que afirmam não dispormos de muito tempo para a solução dos nossos problemas. Esse pessimismo não nos faz bem nenhum, mas também não devemos assumir uma posição excessivamente otimista, porque ela iria nos deixar desleixados, permitindo que os fatos mantenham a atual tendência do desperdício. Precisamos ser realistas e buscar por uma solução para esta fase. As metáforas cósmicas podem nos ajudar a superar a miopia de consumidores compulsivos e a nos desvencilhar dos problemas em que nos metemos devido, entre outras causas, às fragilidades de nossa atual concepção de mundo.

A taxa de crescimento para os humanos, depois das inflações sem limites do século XX, precisa ser o da lenta prosperidade sustentável, com nova ética e conduta, como fez e faz o universo.[29] Nada de afobações e correrias, nada de

---

29 "Uma nova ética necessária", declaração assinada em 1993 por 1.670 cientistas de setenta países, inclusive 102 premiados com o prêmio Nobel: "É necessária uma grande mudança em nossa administração da Terra e da vida para evitarmos uma enorme miséria humana e para impedirmos que o nosso lar global sobre este planeta seja irrecuperavelmente perdido"(LASZLO, 2012).

querer cada vez mais, de esbanjar adquirindo e consumindo o desnecessário. Nada de crescimentos incessantes e a taxas ilimitadas. Aproxima-se o fim dos crescimentos inflacionários e ilimitados, assim como o da riqueza muito concentrada e a imensa diferença entre pobres e ricos. Com otimismo racional, esperamos que isso venha a ocorrer ainda no século XXI.

4

O TEMPO É UMA ILUSÃO?

A distinção entre passado, presente e futuro
não passa de uma ilusão obstinada.
(Albert Einstein)

O tempo flui como um rio, num único sentido. Implacável, está sempre em ação: na erosão das rochas, na evolução das espécies e dos astros, no amor que inicia e que esvanece, nas amizades que vêm e vão, no amadurecimento dos filhos. Pensamos: se o tempo passa, logo ele existe. Mas será que existe mesmo ou é simples aparência? Será que o tempo causa as transformações ou são elas que causam a existência do tempo? Seria o tempo apenas um recurso, inventado para localizar os eventos que ocorrem no espaço-tempo e medir as modificações das estruturas e os movimentos que percebemos em nossa escala de tamanho?

Os diversos conceitos que o Homem desenvolveu para entender o tempo acabaram por nortear a sua visão e conduta no mundo. Porém, a nossa concepção do tempo, que à primeira vista parece muito clara, na verdade não é. Percebemos com clareza os efeitos do tempo, mas não sabemos se vivemos dentro dele ou se ele vive dentro de nós.

Caso consideremos que vivemos dentro do tempo e que, portanto, ele existe por si só, podemos conferir-lhe um tratamento concreto (físico, métrico e essencialmente astronômico) para o entendimento dos calendários e para interpretar e prever os fenômenos celestes e terrenos. Também podemos entender o tempo sob um ponto de vista abstrato, de viés cosmológico, psicológico e filosófico. Essa segunda abordagem, que entende o tempo como algo que ocorre mais dentro do que fora de nós, será enfoque deste capítulo.

A importância da experimentação mental

Longe de mero entretenimento mental, meditar sobre o tempo é um experimento profundo de nossa mente e consciência, podendo ser essencial para a nova etapa evolutiva dos seres humanos. Vale a pena recordar que os experimentos mentais, mais do que os concretos, sempre nos conduziram a elucidar muitas questões. Respostas que acabaram por resultar, nos últimos cinco séculos, em novas visões e conceitos, com profundas modificações em nossa interpretação dos fenômenos da natureza e em nossa conduta.

Para exemplificar algumas mudanças fundamentais em nosso modo de pensar o tempo, listaremos pensadores que empreenderam experimentos mentais de suma importância para a evolução de nossa concepção do tempo.

Johannes Kepler (1571-1630) – Teorizou que os únicos cinco poliedros perfeitos da matemática estariam envolvidos por esferas internas, que tangenciavam as suas faces internas, e esferas externas que os circundavam, tocando seus vértices (conforme descrito no subcapítulo "máscara medieval" do capítulo 1). Nessa configuração, cinco sólidos permitiam seis esferas. Nestas esferas orbitavam, em sinfonia, os seis planetas conhecidos na época. Desse exercício mental resultou o estabelecimento das três leis fundamentais do movimento dos planetas ao redor do Sol. Entre essas leis, a que estabelece que a razão entre o quadrado do tempo que um planeta leva para completar uma revolução ao redor do Sol é diretamente proporcional ao cubo do semieixo maior de sua órbita elíptica.

Galileu Galilei (1564-1642) – Empregou a variável tempo no âmbito do mundo físico para explicar a queda livre dos corpos no vazio. Concluiu que a queda livre de uma pena de ave no vazio demoraria o mesmo tempo que a de uma bola de ferro de uma tonelada, desprezada a resistência do ar. Essa noção contrariava os princípios de Aristóteles, do senso comum, que afirmara que os corpos com mais massa cairiam mais depressa.

Isaac Newton (1643-1727) – Consolidando a matematização do tempo, fundou a mecânica clássica, que nos revelou como funcionava a dinâmica dos corpos e as forças que atuam entre eles.

Charles Darwin (1809-1882) – Vislumbrou que a vida, a nossa, dos animais e das plantas, não fora criada num *fiat* de apenas um dia, mas foi resultado de um longo mecanismo evolutivo que ele denominou "seleção natural". Nesse mecanismo, os mais adaptados, por acidentes, sobrevivem e procriam. Expondo ainda que somos um fenômeno vivo mais complexo do que aqueles que nos antecederam, Darwin pôs em dúvida o desígnio divino ou o "projeto inteligente".

Albert Einstein (1879-1955) – Teorizou que a velocidade da luz é constante e nada pode superá-la, ou melhor, que nenhuma informação pode propagar-se instantaneamente; que a gravitação entre os corpos é manifestação local da curvatura do espaço e não produzida por uma força, como estabelecera Newton. Portanto, como viria a definir o físico John Wheeler, "a matéria determina ao espaço como se curvar e o espaço determina à matéria como se mover". Einstein também afirmou que o tempo e o espaço seriam elásticos e não mais absolutos.

Depois dos experimentos desses pensadores, e de tantos outros, a nossa forma de pensar o tempo se modificou radicalmente. E novos exercícios vão continuar a transformar o mundo atual de nossas percepções, como aqueles que resultaram dos conhecimentos da mecânica quântica, da biologia e da genética desenvolvidos no início do século XX. Entre as muitas novidades, esses experimentos mentais brindaram-nos com a construção dos atuais mecanismos de informática e comunicações, com avanços significativos no campo da medicina, ciência dos materiais e engenharia espacial.

Qual é a natureza do tempo?

Cíclico - Com a topologia circular, periodicamente repetindo os mesmos fenômenos?
Linear - Com a topologia de uma seta, que anda apenas num sentido, para frente?
Absoluto - Existindo independentemente de qualquer coisa ou estrutura? Ou dependerá do movimento, da densidade de matéria, das escalas de tamanho e da mente?
Reversível - Podendo fazer o taque-tique?

O tempo sempre existiu ou só começou depois do Big Bang? Flui igualmente no microcosmo e no macrocosmo? Será uma propriedade coletiva, que somente surge quando as estruturas tomam certa dimensão e estruturação física? Caso vivêssemos em estase, imóveis, sem mudanças ou transformações de qualquer natureza, teria o tempo algum significado? Ou será ele uma miragem, um evento psicológico, resultante apenas das limitadas percepções de nossos sentidos?

Sabemos que também é possível mensurar transformações por correlações entre dois objetos físicos, assim dispensando o conceito de tempo para medi-las. Eu poderia afirmar que o aparecimento de rugas no meu rosto está relacionado ao número de vezes que vejo a lua fazer uma revolução ao redor da Terra. Utilizar o tempo como a maneira de medir mudanças ou inter-relacionar fenômenos físicos é muito mais prático do que o uso de correlações físicas. Será que, assim como os peixes são incapazes de descrever o aspecto externo dos oceanos, nós estamos vivendo dentro do tempo e, portanto, encontramo-nos impossibilitados de descrevê-lo por fora? Existiria esse "fora do tempo"?

Apesar de todos os avanços sobre a conceituação do tempo, ele ainda nos esconde muitos segredos. Algumas questões ainda estão fora do ambiente e das capacidades da ciência moderna (em suas áreas da relatividade, da quântica e da termodinâmica) e apenas novas percepções e conhecimentos poderão tentar respondê-las. Trata-se de um tema tão misterioso que o padre, teólogo e filósofo São Agostinho (354-430), há 15 séculos, disse assim: "Ainda que intimamente eu saiba o que é o tempo, sou incapaz de explicá-lo".

O senso comum nos engana

Um cachorro não pode entender em que consiste um sistema político democrático parlamentarista ou como extrair uma raiz cúbica. Da mesma forma, devem existir infinitos "algos" que nos transcendem. Vivemos de versões temporárias em razão das limitações de nossos sentidos e à neurogênese de nossa consciência. Precisamos lançar um novo olhar sobre os conceitos que aprendemos e rever todas as coisas que nos parecem demasiadamente óbvias e da ordem do senso comum, nada confiável. Este sempre um grande mestre em nos iludir, induzindo-nos a interpretações, considerações e julgamentos distintos dos fenômenos que observamos e percebemos. Concepções de um grupo sempre diferem das de outro, pois o senso comum e as interpretações que fazemos do mundo dependem de experiências pessoais, percepções, informações e culturas distintas em cada época e localidade, não podendo corresponder a uma realidade nem a uma verdade.

Durante vários milênios o senso comum afirmou que o Sol girava em torno da Terra, e que esta era o centro do universo. Arrisco a dizer que ainda há pessoas que acreditam nisso, desconhecendo que o planeta gira no espaço. O sucesso da ciência atual levou-nos a constatar que a observação direta das coisas e dos fenômenos costuma conduzir-nos a percepções equivocadas se confiarmos meramente em nossos sentidos.

Os fenômenos não são como parecem à primeira vista aos nossos acanhados sentidos e à nossa limitada estrutura cerebral, o que nos induz a visões ingênuas dos modelos que elaboramos sobre a realidade. Isso também ocorre com grande frequência nas relações humanas, políticas e pessoais. Trovões não são atos amedrontadores de divindades encolerizadas pelo mau comportamento humano. A Segunda Grande Guerra do século XX não ocorreu apenas por causa do Tratado de Versalhes ou da existência de Hitler. Assim como os nossos conflitos pessoais do cotidiano não resultam de causas que entendemos verdadeiras. Muitos fenômenos e conflitos também resultam de causas inimagináveis.

Porém, é oportuno notar que mesmo a ciência vigente em cada época apresenta somente uma possível versão dos fatos aplicada a determinados momentos e em determinado domínio de situações, e ainda sob específicas condições contingenciais. Com o desenrolar do tempo, as versões e modelos científicos vão se alterando pelo acúmulo de observações e conhecimentos e, assim, promovendo profundas mudanças no modo de ver e pensar o mundo.

Também é bom relembrar que aceitamos como fenômeno real, sem qualquer hesitação, a concepção de que a semana é planetária. Cada um dos sete dias tem o nome de um planeta que o influencia: Sol, Lua, Marte, Mercúrio, Júpiter, Vênus e Saturno. Na verdade, a semana simplesmente decorre de uma versão das observações que realizamos no passado a respeito dos movimentos desses planetas e de suas supostas influências nos destinos humanos. A semana não tem existência real, é uma concepção arbitrária e abstrata que perdura até hoje por ser muito prática para nosso cotidiano.

Outra concepção, gerada por nossas percepções passadas, refere-se às constelações, que nada mais são do que arranjos arbitrários dos astros no firmamento. Porém, mesmo sendo simples miragens, as constelações foram importantíssimas para nossos deslocamentos e navegações. Apesar das constelações não terem existência real, muitos ainda entendem que elas determinam nossa forma de ser e orientam nossas condutas. *Stricto sensu*, como tudo no universo se encontra interconectado, o movimento e o tamanho de um conjunto de astros em nossa proximidade ou mesmo nos confins do universo talvez influenciem, ainda que minimamente, eventos que aqui ocorrem, mas tais influências podem ser desprezadas diante de outras mais significativas. Também sabemos que quando olhamos para as estrelas não as estamos vendo no mesmo instante em que emitiram seu brilho. O que vemos quando olhamos para o céu não é o "agora", como sugere o senso comum, mas a superposição de vários passados distintos. Recebemos a informação da luz dos astros de diferentes locais e ela chega a nós em tempos diferentes. Temos total ilusão a respeito da simultaneidade do brilho das estrelas.

Até o final da Idade Média, o geocentrismo foi amplamente aceito. Os que não acreditavam nessa concepção chegavam a ser sacrificados. Com o tempo, percebeu-se que o geocentrismo era uma quimera. O mesmo ocorreu com o heliocentrismo e, recentemente, com o galacticocentrismo e o antropocentrismo.

As concepções humanas têm poucas chances de se aproximar de uma representação real daquilo que é chamado "verdade", visto que dependem da experiência e da consciência que se alteram no decorrer da evolução. É da natureza do conhecimento estar em permanente alteração, ao sabor das novas descobertas e da melhor observação dos fenômenos. O mesmo ocorre com a noção do tempo. Apesar do senso comum, a atual percepção do tempo pode não passar de uma ilusão, uma versão momentânea do fluxo dos acontecimentos e das transformações físicas que somos capazes de perceber.

Como anda o senso comum do tempo?

O tempo não tem cheiro, sabor ou som; não emite luz, não pode ser tocado. Não dispomos de um sentido ou órgão para percebê-lo. Contudo, podemos senti-lo por meio de seus efeitos, como o envelhecimento e a erosão das rochas. Tomamos o tempo por algo real, quando na verdade ele resulta de uma percepção construída no âmago de nossa consciência, talvez válido apenas para nossa específica escala de tamanho.

Os seres humanos desenvolveram a noção do tempo ao longo do processo evolutivo, como decorrência do aumento de sua capacidade cerebral de perceber e registrar fenômenos (passado), medir, sentir e correlacionar transformações no mundo físico (presente) e gerar expectativas (futuro). Aos poucos, o homem começou a estabelecer momentos para trabalhar, pensar, descansar, divertir-se e comemorar momentos sagrados, capacidade que nos distingue dos outros animais.

A seguir, listaremos alguns dos conceitos sobre o tempo que, ao longo da História, foram apontados pelo senso comum.

O tempo cíclico

Uma das mais importantes percepções compartilhadas por numerosos povos, desde tempos remotos, principalmente na Grécia antiga, foi a da noção de tempo cíclico, um conceito mágico em que o tempo não possui início nem fim, como um círculo. Aristóteles escreveu: "Há necessariamente alguma mudança em todo o mundo, mas não na forma de aparecimento ou desaparecimento, pois o universo é permanente".

Na forma de diferentes mitos e concepções, o homem estabeleceu a ideia de um "eterno retorno", a repetição do próprio tempo, que resultaria num mundo sem evolução. Eu reapareceria da mesma forma, faria as mesmas coisas e teria os mesmos amigos, as mesmas atividades, os mesmos prazeres e sofrimentos; e isso, como acreditavam os pitagóricos, viria a se repetir em ciclos cósmicos imutáveis, eternamente.

A noção de tempo cíclico, circular, que prevaleceu nos grandes mitos, nas religiões e nas filosofias da humanidade, fundamentou-se na observação de fenômenos naturais: os ciclos repetitivos que víamos na natureza e os ciclos dos movimentos dos corpos siderais. Na natureza tudo parecia periódico, o que acabaria por permitir a medição da duração pela repetição dos processos naturais.

Desde a remota antiguidade o Homem manteve, com grande interesse, o registro dos ciclos das estações, do ciclo diário do Sol, das fases da Lua, dos movimentos periódicos das estrelas, dos eclipses e do ciclo das marés. Além desses ritmos celestes, observava também o ciclo das batidas do coração, da respiração, da repetição menstrual feminina e do ritmo da própria vida. Parecia que tudo iria se repetir, retornar. Até a morte era o fim de um período para uma nova repetição da vida, para a ressurreição, que ocorreria após as cerimônias do funeral. Com o eterno retorno, caminharíamos em direção ao futuro para chegar ao passado e tudo reiniciar. Assim voltaríamos ao nosso idêntico.

Para os maias, cujo calendário é incrivelmente mais exato do que o gregoriano, este que ainda hoje utilizamos, o eterno retorno tinha um ciclo de 260 anos, quando tudo se mesclava e recomeçava. A vida repetia-se em ciclos, infinitas vezes, num tempo interminável. Por isso enterrava-se os mortos com roupas, armas, comida e outros utensílios do agrado do falecido, para que pudesse vir a utilizá-los no ato seguinte.

O tempo circular foi ainda uma maneira intuitiva que encontramos para nos livrar de Cronos e assim sustar o fluxo incessante do tempo, prolongando nossa existência por toda a eternidade. Dessa forma conseguíamos escapar do sofrimento provocado pela conscientização de nosso desaparecimento definitivo.

No Antigo Testamento, o Livro do Eclesiastes, o capítulo 1 anuncia: "... que é o que foi? É o mesmo que o que há de ser. Que é o que se fez? É o mesmo que o que há de se fazer. Não há nada que seja novo debaixo do Sol, e ninguém pode dizer: eis aqui está coisa nova. Porque ela já a houve nos séculos que passaram antes de nós".

Nada há de novo debaixo do Sol, o que reforçava a noção de tempo circular fervorosamente aceita por gregos, romanos e outras tantas civilizações.

O conceito de tempo cíclico, a interminável série de repetições, começou a se revelar exasperante. Afinal, se nada seria acrescentado ao que é ou ao que foi, estávamos condenados à monotonia, ao tédio e à perda da liberdade. Era impossível determinar qual seria a idade do universo, pois, com a concepção de um tempo cíclico, a idade perderia o sentido, seria imensurável. O tempo cíclico ainda impediria a diversidade no mundo e emperraria a evolução, pela repetição eterna, sem qualquer inovação. O futuro nada mais seria do que o regresso do passado e, assim, as modificações ocorridas entre dois ciclos sucessivos seriam ilusórias. Por outro lado, o eterno retorno substituía a morte pela ressurreição e a incerteza pela ordem, o que promovia a serenidade. Para a mente humana, era dificílimo abandonar o conceito do tempo cíclico.

O tempo linear e irreversível

Tudo indica que foram os cristãos que começaram a pensar na alternativa de um tempo linear. Como Cristo morreu uma vez, ressuscitando depois, ele não tornaria a morrer. Além disso, o Antigo Testamento revelava uma série de acontecimentos singulares, como o dilúvio, o êxodo e o encontro de Abraão com Deus. Esses acontecimentos contribuíram para a noção de eventos fundadores de novos tempos, contrariando as bases do tempo cíclico que impunha um eterno recomeço.

O pensamento científico evoluiu gradativamente, à medida que surgiram pensadores indagando quando o universo e a Terra haviam sido criados. Como o universo tivera um início no tempo, a Terra também tivera um começo. Mas como determinar a idade da Terra?

Gradativamente consolidamos a visão cristã do tempo como uma progressão linear, com passado, presente e futuro. Mas foram os físicos que, de maneira mais prosaica e ao estabelecer o princípio da causalidade, tornaram inaceitável a ideia de que o tempo daria voltas. Esse princípio desempenhou papel essencial na física dos séculos XVII e XVIII. Desde então passou a ser impossível sustentar o tempo cíclico, porque implicava que efeito pode ser causa e vice-versa, criando inúmeros paradoxos. Nos séculos seguintes começaram a surgir novos conceitos na física (como o da termodinâmica) que fortaleceu a noção de um sentido linear e contínuo do tempo que degrada todos os sistemas.

Com os evolucionistas, surgiria a noção de que o passado sempre foi mais simples do que o presente. Passamos a entender que tudo no universo caminharia para estruturas diferentes, imprevisíveis e cada vez mais complexas. Isso contrariava não só criacionismo, que defendia que tudo fora criado de uma só vez e com perfeição, como também a termodinâmica, que afirmava que todas as coisas caminham, com o tempo, para a deterioração inexorável. No final do século XX, surgiu a teoria sobre o comportamento de estruturas instáveis, fora de estados de equilíbrio, denominada Teoria do Caos, que daria nova interpretação aos fenômenos da evolução de estruturas complexas. O mundo tornava-se cada vez mais indeterminado e receptivo ao novo.

A noção de tempo contínuo linear e irreversível, com memória, sensação e expectativa (ontem, hoje e amanhã), levou-nos à conclusão de que o tempo prossegue de modo uniforme e ininterrupto. Sem qualquer relação com as coisas externas, o tempo seria também absoluto. Existiria por si só.

O tempo seria linear porque só conseguimos perceber e medir seu fluxo num único sentido. É por isso que definimos o tempo com metáforas como o deslocamento de uma flecha e o fluir de um rio. No espaço podemos medir distâncias em vários sentidos, para cima e para baixo, para os lados, para a frente e para trás. No tempo, isso ainda não é possível.

O tempo seria irreversível, porque qualquer fenômeno acontecido não poderia voltar atrás e se repetir. O tempo flui em um sentido. Nas equações da física (clássica, relativista e quântica), temos a variável tempo, mas seu fluxo não está presente nos fenômenos por ela descritos. As leis da física funcionam muito bem quando se segue para frente ou para trás no tempo. Para elas, todos os fenômenos podem ser reversíveis. Mas para a nossa experiência e para a termodinâmica, o tempo é irreversível, não podendo ser restauradas as condições originais de qualquer fenômeno ou estrutura. Não podemos voltar ao passado nem viajar no tempo para o futuro, ao menos por enquanto. Não podemos transformar uma omelete nos ovos originais, pois, nos sistemas ou nos fenômenos físicos macroscópicos, parece ocorrer irreversibilidade, impossibilitando um retorno às configurações iniciais. Por outro lado, nos fenômenos microscópicos ou nos muito simples (como nos pêndulos) parece haver reversibilidade. O que sabemos hoje é que estamos de fato viajando no tempo (ou nos transformando, permanentemente, para estruturas mais improváveis e mais complexas) em direção ao futuro à taxa de um segundo por segundo, não podendo ainda viajar mais rápido ou dar saltos para frente ou para trás. Para complicar um pouco mais as coisas, alguns cientistas afirmam que a flecha do tempo existe porque não temos paciência suficiente para esperar que ocorra o retorno às condições iniciais. Outros pensadores afirmam que para Deus o tempo não existe, porque, se existisse, Ele não seria onipotente. Dessa forma, o tempo seria mesmo uma imaginação dos seres vivos.

O tempo absoluto

O que significaria, na prática, um tempo absoluto? Se todas as coisas desaparecessem do universo, o tempo continuaria existindo e fluindo, inexorável e independe do ambiente, sem ser afetado por nada, conforme afirmava Newton. Nossos relógios, mecânicos ou atômicos, que se movem ou vibram em frequências absolutamente previsíveis, medindo repetições sincronizadas do mundo, continuariam mensurando o tempo, alheios a qualquer fenômeno no universo. Um segundo ou uma hora teriam a mesma duração nos confins do universo, no interior de um átomo, em qualquer escala geológica e biológica, no passado e no futuro. O tempo existiria fora dos nossos relógios. Vivemos convictos de que o tempo não é afetado por nada, existindo por si só.

No início do século XX o tempo perdeu sua independência, passando a estar indissoluvelmente conectado ao espaço, com ambos dependentes da energia (o movimento) e da matéria (a gravidade). Espaço, tempo, energia e matéria não teriam existência independentes. Contudo, apesar de todos os avanços em sua conceituação, o tempo ainda não revelou todos os seus segredos. Estamos sempre buscando uma forma mais precisa de mensurá-lo. Para medir o fluxo temporal cíclico, linear, irreversível ou absoluto, já utilizamos, além dos ciclos naturais mencionados, o ciclo da bexiga de alguns animais que urinam com confiável periodicidade, e o de outros ritmos biológicos que os seres vivos adquiriram para melhor sobreviver. Depois criamos relógios de areia (ampulhetas), de água (clepsidras), de sol (gnômons) e os de pêndulo. Mais recentemente construímos instrumentos mecânicos e atômicos que medem de forma ainda mais exata as durações, a ronda das horas, o tempo métrico. O fluxo inexorável do tempo passou a ser medido em anos, meses, dias, horas, minutos, segundos e milissegundos, aperfeiçoando a administração e o controle do cotidiano. Mas poderá o tempo existir fora de nossos relógios?

O relógio, ao qual estamos acostumados, nada mais é do que um instrumento de funcionamento cíclico. Um mecanismo usado para medir o ritmo das transformações lineares e irreversíveis que podemos perceber em nossa escala de acontecimentos e em nossos movimentos. O relógio que utilizamos para mensurar o tempo métrico não marca aquilo que não percebemos com nossos sentidos, como os movimentos geológicos das placas tectônicas, as transformações atômicas e moleculares e a dinâmica das estrelas e das galáxias do universo. Para medir tais movimentos e transformações extremas, em ambientes totalmente distintos do nosso cotidiano, já começamos a dispor de novos conhecimentos e instrumentos que quantificam, com razoável precisão, as vibrações atômicas, a idade das camadas sedimentares da Terra, a duração da vida e a das espécies, e os movimentos dos astros. Portanto, nossos relógios servem para medir a transformação das coisas que percebemos em nossa escala de tamanho. Em outras escalas, eles não servem para nada.

Novas concepções do tempo

Foi apenas a partir do século XX que começamos a verificar que, além de todas as concepções e percepções que já tínhamos a respeito do tempo, ele surpreendentemente varia segundo as escalas e estruturas das coisas, a quantidade de movimentos dos objetos, a intensidade de campos de gravidade e até de acordo com os humores e as situações dos animais.

As escalas

Para animais minúsculos, como bactérias, que nascem, crescem, procriam e morrem em questão de minutos, os seres humanos devem parecer muito lerdos, quase estátuas, referências fixas. Para as bactérias, somos tão vagarosos quanto as estrelas o são para nós, ou tão estáticos quanto nos parecem as montanhas e os continentes. Se nós percebêssemos apenas as transformações que ocorrem em intervalos muito longos, veríamos um prédio em construção crescer, mas não perceberíamos os operários que, movendo-se muito rápido, seriam quase invisíveis.
Enquanto os sapos só conseguem perceber com precisão elevada tudo que se desloca em grande velocidade, como

os mosquitos de que se alimentam, os nossos olhos não notam a moldura escura dos fotogramas que passam em alta velocidade durante a projeção de um filme. Aliás, todo filme nada mais é do que um conjunto de imagens estáticas do espaço-tempo, mostrando o espaço em sucessivos momentos de tempo, e que apresentadas em alta velocidade dão-nos ilusão de fluidez.

Os animais são dotados de alguma inteligência e memória, mas tudo indica que vivem num presente contínuo, não tendo desenvolvido o sentido de passado e de futuro. Desenvolveram minimamente a capacidade de refletir conscientemente sobre suas memórias (conjunto de versões do passado) e as questões de eventos futuros (conjunto de versões de expectativas). Nós, humanos, dotados de faculdades mentais aparentemente muito superiores, ou mais complexas, costumamos viver aflitos com a frustração do que se passou e angustiados ou esperançosos com o que está por vir.

A percepção das transformações e dos movimentos, que serve para medir o tempo, depende da estrutura de cada olho e de cada mente, construídos para atenderem às necessidades da escala em que vive cada tipo de estrutura animal.

Um milésimo do nosso segundo é uma eternidade para o mundo atômico. Nossos séculos não passam de alguns milissegundos no relógio geológico da Terra e não passam de ...lhonésimos de segundo no relógio do universo. O dia em Júpiter tem cerca de 9 horas; na Terra, um dia tem

24 horas; na Lua, 28 dos nossos dias; em Mercúrio, quase uma eternidade.

A quantidade de movimento e a intensidade de campos gravitacionais

Conforme Einstein previra no início do século XX, foi verificado e comprovado experimentalmente que o ritmo do tempo se altera com a variação da quantidade de movimento entre corpos que se deslocam entre si e com a variação da força da gravidade. O conceito de tempo foi completamente alterado depois do trabalho de Einstein a respeito da eletrodinâmica dos corpos em movimento. O tempo passou a ser elástico, como uma borracha. Ele se estica ou se encurta conforme o movimento relativo do observador. Quanto mais rápido nos movemos em relação a outro localizado em um sistema de referência diferente, mais lento é o escoar do tempo para ele.

Como ilustração vamos nos valer, simplesmente para exercício de raciocínio, do paradoxo formulado pelo físico francês Paul Langevin. Ele imaginou um experimento no qual seu irmão gêmeo parte numa espaçonave para uma viagem de ida e volta até uma estrela situada há 10 anos luz da Terra, com velocidade muito próxima à da luz, enquanto ele permanecia na Terra. Por ocasião do regresso do irmão, passaram-se

20 anos terrestres. Para o gêmeo que viajou, o escoar do tempo, os relógios e o metabolismo fluíram mais lentamente do que para o que ficou na Terra, conforme previsto na teoria de Einstein. Para o primeiro, a viagem teria durado menos de três anos, mas para o que ficou na Terra, 17 anos havia se passado. Deixaram de ser gêmeos da mesma idade. Se ele tivesse viajado a uma velocidade mais elevada ainda, mesmo que inferior à da luz, o salto teria sido muito maior. Extrapolando o paradoxo apresentado, podemos imaginar o caso de um avô que, viajando pelo espaço por algum tempo, em velocidade próxima à da luz, ficaria surpreendido por ocasião de seu regresso a Terra ao encontrar seu bisneto mais velho do que ele. A viagem no tempo ainda poderia permitir que mudássemos de época sem mudar de idade ou vice-versa. Esse paradoxo, essa contradição lógica, utilizada aqui para ressaltar que o tempo parece não ser o que pensamos sobre ele, ressalta que é possível viajar no tempo e que o tempo depende do movimento. Ele pode esticar, encolher ou parar.

Fenômeno semelhante ocorre em campos gravitacionais muito elevados. Já foi verificado experimentalmente que um átomo de hidrogênio oscila mais lentamente no Sol do que aqui na Terra (a gravidade do Sol é bem superior à da Terra). Com o espaço ocorre algo semelhante. Ele também estica e encurta, dependendo das estruturas e da dinâmica dos sistemas de referências.

As situações e os humores

A nossa sensação do escoar do tempo linear também pode ser afetada pelos estados físicos e psicológicos: idade (um bebê não tem, ao que nos parece, noção de tempo), estado de saúde, confinamento em ambientes escuros, concentração, impaciência, angústia, drogas, insolação e humores de extremo tédio ou alegria.

Para os mais velhos, o tempo definitivamente parece fluir mais depressa, e mais devagar para as crianças que dizem: "Este ano não acaba!" Como demorava o acontecimento do próximo natal quando éramos crianças... Hoje chega muito mais depressa. O tempo voa quando estamos possuídos por muita alegria e se arrasta quando sentados na cadeira de um dentista. Sentimos que o tempo flui, mesmo quando estamos parados, e são os relógios que medem essa passagem. Como disse Paul Vallery, "Esperai pela fome. Quando tiverdes necessidade de comer, vereis o tempo". Alguns míticos afirmam que podemos alterar o estado de consciência a tal ponto que, por meio da meditação, conseguimos suspender totalmente o fluxo do tempo. Enquanto a cultura ocidental tem obsessão pelo passar do tempo, o mesmo não ocorre com a cultura budista.

Esse tempo subjetivo, simbólico ou psicológico é diferente do tempo métrico ou físico dos relógios. Einstein definiu o fenômeno ao dizer: "Existe, portanto, para o indivíduo um tempo do eu, ou tempo subjetivo. Ele em si não é mensurável".

Será então o tempo uma ilusão?

O tempo não flui da mesma forma para todos os animais, assim como não flui de maneira idêntica em todas as escalas do universo. Nosso padrão de medição e nossa forma de entender o tempo, baseada em nosso senso comum, não são necessariamente as únicas formas de lidar com ele. Nada é recente ou tardio, nada é rápido ou vagaroso. O que é recente para um pode não ser para outro; e a sensação de lentidão depende das escalas e das referências de quem observa os fenômenos.

Começamos a perceber que a concepção de um tempo linear, irreversível e absoluto pode, como o tempo cíclico, não passar de uma abstração, ou de uma ilusão sensorial. Mesmo que por pura ilusão ou fantasia, o tempo é prático para a existência específica de cada ser dentro da escala de suas dimensões e estruturas. Somente nos últimos séculos, com a crescente consciência do tempo, nós nos acostumamos a consultar mostradores de relógios, que medem as durações. Hoje não sabemos viver sem relógios, que exercem profunda influência na organização da nossa vida. Mensurável por relógios, a noção de fluxo linear do tempo é hoje tão profunda que nos exige monumental esforço lembrar que estamos lidando com uma concepção abstrata bem recente. Porém, essa noção pode ser alterada pela pressão das novas exigências do meio em que vamos viver, pelas transformações evolutivas pelas quais provavelmente viremos a passar e pela revelação que nos trará os novos sensores que estamos desenvolvendo. Tudo indica que o tempo vai precisar de uma reconceituação.

Da mesma maneira que abandonamos o conceito de um tempo cíclico e passamos a adotar a de um tempo linear, podemos vir a abandonar a nossa atual concepção. Ainda que relevante, a concepção de tempo linear tem nos furtado do sentido mágico e solidário da vida. O tempo linear, que muito ajudou a consolidação de nossa visão determinista e materialista do mundo, banalizou a vida e a morte, induzindo-nos a uma racionalização demasiada e incorreta. Se a razão é uma deficiência da inteligência, como dizia São Tomás de Aquino, quando deixaremos de racionalizar o tempo para adotarmos uma nova concepção? Poderá ser ele reversível, contrariando nosso senso comum ou as concepções da termodinâmica? Ou será algo indeterminado? Será que poderemos voltar ao passado, evento que a ciência hoje denomina de CTC (*Closed Timelike Curve*) ou dar saltos para o futuro? Quando isso acontecer, talvez seja estabelecida uma nova unidade no mundo, na qual o presente também dependerá do futuro e tudo ficará, mais uma vez, solidário - como era quando o tempo cíclico foi concebido.

Os físicos afirmam que o tempo começou mesmo há 14 bilhões de anos, quando ocorreu o Big Bang. Os economistas dizem que tempo é dinheiro, incitando-nos a vender tempo e não trabalho. Os materialistas defendem que temos que poupar o tempo para melhor aproveitá-lo; e pensadores como

Immanuel Kant e Einstein nos informaram que passado, presente e futuro não passam de ilusões convenientes.

O tempo parece-nos intuitivamente óbvio. Mas como puderam demonstrar as considerações anteriores, ele está longe de ser real e absoluto, encontrando-se mais próximo à imaginação ou à fantasia. O tempo é ilusório e útil, como foram as constelações para nossos navegadores, o geocentrismo para muitas religiões e o devaneio do antropocentrismo para a nossa soberba.

Para finalizar essas breves anotações, vale lembrar um velho ditado popular que nos lembra como temos dificuldade em explicar tudo sobre o tempo: "O tempo perguntou ao tempo quanto tempo o tempo tem. E o tempo respondeu ao tempo que o tempo tem tanto tempo quanto tempo o tempo tem".

As novas percepções sobre espaço e tempo estão se desenvolvendo e devem, mais uma vez, transformar a nossa compreensão do mundo com profundas alterações em nossa conduta. Basta lembrar que, embora os nossos sentidos percebam apenas as quatro dimensões básicas da física macroscópica, elas parecem que são onze. Além das quatro mencionadas (3 espaciais - comprimento, largura e altura - e uma do tempo) teríamos mais 7 dimensões na física microscópica, provenientes da moderna teoria das cordas, que podem, todas juntas, explicar as características das forças fundamentais da natureza .

A ciência vem nos libertando no espaço, concedendo-nos capacidade de deslocamento físico tanto em nosso mundo quanto no cosmo, o que era inimaginável há dois séculos. Com a transmissão de sons e imagens, levamos nossos pensamentos a todas as regiões do espaço circundante, praticamente ao mesmo tempo. Com o conhecimento científico do eletromagnetismo, que nos trouxe a tecnologia da televisão, adquirimos certo grau de ubiquidade. No século XV isso seria inimaginável, mas agora é lugar comum. Hoje todos aceitam, com total naturalidade, a onipresença. Também já sabemos que, teoricamente, um dia será possível ocupar fisicamente todos os recantos do espaço, com a transmissão da matéria – algumas experiências nesse sentido já foram realizadas em escala atômica. Então poderemos adquirir plena ubiquidade, à semelhança de Deus, que está em toda parte.

E quando tivermos atingido tal capacidade, o que o tempo significará para nós? Impossível saber. Uma estrutura viva multicelular do período cambriano não poderia imaginar que 500 milhões de anos depois teria se transformado numa estrutura humanoide. De forma análoga, não dispomos de capacidade para imaginar o que virá nos próximos 100 mil anos.

Com a extraordinária evolução da biologia, genética e astrofísica, bem como da nanotecnologia e das ciências de computação, começamos a nos libertar, em nível acelerado, do envelhecimento, de nosso berço terrestre e talvez da própria morte. Esta, nossa maior inimiga, que até hoje tem sido uma obsessão das civilizações, poderá desaparecer. O conhecimento está nos libertando da prisão do tempo, podendo nos tornar eternos e com existência cósmica. Conforme o escritor pioneiro do gênero ficção científica H. G. Wells previu em 1895, tudo indica que, talvez já no século XXII, seremos capazes de viajar no tempo, assim como fazemos na dimensão espacial. E quando presente, passado e futuro tiverem perdido o sentido, seremos outra estrutura, outra coisa, outra espécie: intemporal e imortal.

PARTE II

ESTRANHAS ALIANÇAS

5

ORDEM E DESORDEM

Os padrões de ordem e desordem no mundo
não são produto de algum esquema divino.
A providência é uma fantasia.
(Stephan Greenblatt)

Quando eu era criança, costumava viajar para uma fazenda no interior do Rio de Janeiro. Lá, uma das coisas que eu mais gostava de fazer era observar o céu de noite. Todas aquelas luzes, salpicadas em aparente acaso na escuridão, compunham um quadro de impressionante beleza. De dia, admirando a paisagem bucólica, eu percebia a enorme variedade de arranjos e padrões de vida, em aparente desordem, plena de ruídos e turbulências. Em contraste, quando examinava um jardim ornamental, tudo me parecia correto demais, com aparente ordem, mas parca variedade.

Na adolescência, estudei a sucessão das civilizações e as guerras intermináveis entre os homens, conflitos que, supostamente realizados em nome da ordem e da justiça social, promoviam desordem. Por que as pessoas aniquilavam umas às outras? Para que tanta morte em defesa de regimes políticos, filosofias sociais, crenças e mitos? Já na faculdade, aprendi que no universo como em todos os sistemas fechados a entropia sempre aumenta, caminhando para a desordem absoluta, o homogêneo e o provável. Porém, a ciência do final do século XX acabou desconfiando disso, mostrando-nos que o universo ruma para estados cada vez mais complexos, organizados e improváveis, à custa de sucessivos estados de ordem e desordem, não sendo assim um sistema isolado. Passei a me questionar se a ordem e a desordem, no céu, na natureza e na História, em vez de se constituírem em dicotomia, não seriam conceitos complementares ou mesmo simbióticos.

A nossa História evidencia a permanente dependência e cumplicidade entre ordem e desordem. A primeira, monótona, tenta manter a continuidade e a tradição. A segunda, instigante, estimula a novidade. A ordem tenta impedir a desordem e vice-versa. A ordem mata para manter e a desordem mata para criar. Enquanto os mitos amam a ordem, a evolução ama a desordem que, embora pareça implicar declínio, bagunça e desrespeito, é o único estado capaz de propiciar ineditismo. Ordem e desordem não podem viver separadas. Uma é causa e efeito da outra, opondo-se e conectando-se como as faces de uma mesma moeda. Em conjunto, informam sobre as relações e dependências do todo com suas partes, as relações do uno e do múltiplo, do complexo e do simples. Basta tomarmos como exemplo a matéria, que se comporta simultaneamente como onda e partícula. A ordem nunca criou nada e a desordem jamais soube manter coisa alguma – constatação que pode lançar uma luz sobre nossa conduta social e política, que estão subordinadas à nova disciplina da caoslogia, que trata do surgimento de complexidades crescentes das estruturas em razão de inúmeras interações de suas partes por interveniência de um fator aleatório que provoca os desvios. É uma nova concepção que está revolucionando a ciência e a história da humanidade, ao informar que tudo é mistério, tudo é parcial, contingente e provisório. Ilya Prigogine e Isabelle Stengers, dois pensadores da nova disciplina, costumam dizer que não são mais as situações estáveis e as permanências que primeiro nos interessam, mas as evoluções, as crises, as instabilidades, tudo que foge à rotina. Assim não interessa só o que apenas permanece, a ordem, mas também o que se transforma, as perturbações geológicas e climáticas, a evolução das espécies, a gênese e as mutações das normas que vicejam nos comportamentos sociais, a desordem.

Ordem e desordem no universo

Em um de seus mais interessantes trabalhos, *Ciência com consciência* (1999), Edgar Morin comenta que, ao olharmos para o céu, vemos o mesmo amontoado de pontos luminosos que, para os nossos ancestrais, eram lamparinas carregadas pelos anjos ou buracos pelos quais vazava o brilho dos espíritos dos faraós. Hoje chamamos os pontos luminosos de estrelas, e já entendemos muita coisa a seu respeito. Por meio da decodificação das mensagens embutidas na luz vital emitida por esses corpos celestes, obtivemos informações preciosas sobre a nossa origem e o fenômeno da vida.

A configuração das estrelas no céu nos impressiona por sua aparente ordem. Cada noite apresenta as mesmas estrelas nos seus locais fixos relativos, constituindo as miragens estáticas e eternas das constelações, mapas arbitrários nos quais os antigos julgavam encontrar significados. Porém, quando passamos a observar as estrelas com a ajuda de telescópios e outros mecanismos, encontramos a desordem. E o firmamento, de "firme", não tem nada. Astros nascem e morrem; planetas rodopiam em órbitas caóticas; cometas colidem com outros astros; galáxias colidem e se canibalizam; buracos negros devoram tudo; buracos de minhoca (*wormholes*) enganam o tempo e, talvez, conectem universos paralelos; nebulosas condensam, formando estrelas; novos átomos nascem dos ventres das estrelas suicidas; energia escura expande o universo.

Temos a tendência de acreditar que o universo é governado por leis semelhantes às nossas. Mas por que o universo haveria de se comportar segundo os ditames lógicos e deterministas concebidos por um animal jovem, imperfeito e limitado como o Homem? Não seria o universo guiado por leis que, para nós, são inconcebíveis e transcendentais? As percepções que desenvolvemos na contemporaneidade parecem tão ilusórias quanto as figuras de animais e de deuses que víamos nas constelações. O modelo planetário do átomo é quimérico, assim como a nossa crença, juvenil e arrogante, numa centralidade cósmica para o Homem. Vale ressaltar que os nossos sentidos e conceitos só possuem serventia quando aplicados em nossa própria escala de tamanho, nossa dimensão. Já sabemos que quando examinamos o macro ou o microuniverso, os conceitos e as leis de nossa dimensão se fazem inúteis. Até o tempo, como vimos, que nos parecia absoluto e eterno, revela-se uma ilusão da mente.

Ordem e desordem na vida

Aqui, neste subúrbio cósmico de nossa galáxia, vemos as espécies animais e vegetais reproduzindo-se e diversificando-se de forma incessante. A princípio, parece razoável supor que a ordem, sozinha, tenha sido capaz de produzir tantos acontecimentos contingentes, que resultaram nos domínios, reinos, filos, classes, ordens, famílias, gêneros e espécies de nosso mundo. Mas uma observação mais atenta demonstra que a ordem que vemos na geosfera e na biosfera, aparentemente estáveis e eternas, é mais uma de nossas ilusões mentais.

A superfície deste planeta é pontuada por desordeiros movimentos criativos, destruições e hecatombes que a cada ano exterminam milhares de seres vivos. As espécies hoje existentes devem se constituir em menos de 1% de todas as que já transitaram em nosso planeta. A vida está sempre à mercê de fatores imprevisíveis, que podem alterar condições ambientais e extinguir espécies: erupções vulcânicas, mutações genéticas, perturbações ecológicas, quedas de meteoros e cometas. Além disso, o nosso planeta permanece em alteração constante. A composição da atmosfera muda pela interação da química da vida e da matéria inanimada com a química do planeta, que se recicla pelo movimento das placas continentais que continuam à deriva, edificando montanhas e abrindo fendas no fundo dos oceanos. Essas alterações produzem terremotos, tsunamis assassinos e reciclam os gases atmosféricos, estruturando novos hábitats apropriados para a eclosão de novos seres, que também virão a se transformar no escoar do tempo. Tudo em incansável ineditismo, em inimagináveis morfogêneses.

Nosso planeta, portanto, está submetido a um processo evolutivo por seleção e transformações contínuas. Sem todas essas desordens, intercaladas por períodos de ordem, nós, seres humanos, não existiríamos. Portanto, é inocência absoluta imaginar que somos o epílogo perfeito da criação, o fim de linha desta extraordinária sucessão de eventos que nos fez surgir.

Mas não é apenas no mundo que nos rodeia que podemos verificar a ação da desordem. O interior de nossos corpos é submetido não apenas à ordem, mas também a uma poderosa desordem na dinâmica das células, nas enzimas, nos plasmas celulares, nas trocas de energia das mitocôndrias, nos segredos dos ácidos nucleicos, aminoácidos e proteínas e nos momentos da fecundação. No mundo das partículas atômicas (blocos elementares da matéria que, associados e interagindo entre si, constituem a vida), as órbitas ordenadas e determinísticas dos elétrons foram substituídas por ondas de incerteza, de probabilidades. Antes considerávamos os prótons e os nêutrons os componentes elementares de tudo que existia.

Mas agora sabemos que eles são constituídos por vários tipos de quarks e de outras exóticas e instáveis partículas que vivem numa sopa de incertezas.

Em tudo que existe temos ordem e desordem associadas. A primeira estrutura, a segunda desestrutura. Desordens são portadoras de uma infinidade de potencialidades, de inesgotável fecundidade, acabando por gerar novos estados de ordem, que em algum momento serão sucedidos por desordem. E assim, ordem e desordem continuam se alternando *ad infinitum*.

Ordem e desordem nas sociedades

Muitas estrelas, após atingirem seu clímax de complexidade, desvanecem, explodindo e gerando as sementes para novas complexidades. No nível humano, as civilizações também acabam por entrar em colapso após alcançar determinado nível de complexidade, deixando, em seus resquícios, a matéria-prima para o surgimento de novas estruturas sociais.

Durante muitos séculos assumimos a debilitada visão de que o universo, a vida e as sociedades se fundamentam nos pilares da ordem. Com sua paixão por buscar ordem e padrões em tudo, as tribos primitivas criaram seus mitos cosmológicos "verdadeiros", diferentes hipóteses, com suas cadeias próprias de explicações, que buscavam entender os segredos do mundo para aliviar o sofrimento da percepção da morte. As tribos, ao se encontrarem, cada uma com suas certezas, esbarravam-se umas com as outras, com dissidências permanentes de suas verdades religiosas, científicas e filosóficas excessivamente organizadas. Desencadearam guerras santas e ideológicas para defender o castelo de suas imaginárias e míticas "ordens". Surpreendentemente, até hoje o conceito de que o universo é regido pela ordem conta com inúmeros adoradores.

Os mitos, as religiões e os dogmas, sustentados pelos pilares de Ordens Divinas, não permitem dúvidas, heresias e dinâmicas criativas. São impregnados por verdades absolutas, certezas e ordens estáticas e empobrecidas. Não é de se admirar que os mitos e as religiões promovam tantas tragédias, por rejeitarem seus opostos; e tantas estagnações, por estimularem o conformismo.

Nenhuma sociedade pode viver apenas de autoridade, regulamentos e algoritmos pretensiosamente racionais. Se levássemos em consideração apenas as instruções da ordem, tudo viria a parar por perda de criatividade, que se origina na desordem, na heresia. Afinal, desordem não é bagunça, como nos acostumamos a pensar, mas uma multidão de potencialidades. A desordem não é uma irresponsabilidade, como pensam aqueles que costumam submeter todos os conceitos aos extremos soberanos da ordem, para não sofrerem com a aceitação das instabilidades e das incertezas criativas inerentes à beleza da desordem.

O sistema social democrático é, por enquanto, aquele que mais se assemelha à natureza, por sustentar-se numa estrutura política complexa, plástica e desigual, assim possibilitando o estimulante convívio entre a ordem e a desordem. A ditadura, sistema social de pequena complexidade, que enfatiza ordem, obediência e padronização, é idealista, tirânica e limitadora.

A complexidade

Aceitando a união da ordem com a desordem, começamos a compreender o universo evolutivo de complexidades crescentes, que segue o processo cósmico. Por mais paradoxal que possa parecer, a forma como o universo se organiza é se desintegrando, como disse Edgar Morin. Desintegra-se para se organizar em outras camadas, por meio da cumplicidade estranha entre ordem e desordem, que estrutura o mundo da complexidade. O universo parece um ser vivo que carrega em suas entranhas a morte. A esse processo inerente de corrupção de estruturas os físicos denominaram "entropia". O seu oposto, a neguentropia, como nos referimos, cria a novidade.

Um universo ordeiro, determinista, não degradável, simétrico e de perfeição divina seria como um cristal ou uma pedra preciosa, sem metabolismos ou interações. Seria inerte, sem graus de liberdade. Seria um universo desprovido de sofrimento, mas também da capacidade de criar e evoluir, que só as estruturas instáveis e em desordem podem ter. Num mundo utopicamente perfeito, estável, simétrico e homogêneo, de pouca complexidade e sem instabilidades, nossa existência seria impossível. Num sistema totalmente organizado, congelado, regulado, padronizado e obediente, as informações não possuem graus de liberdade. E não lhes sendo permitido fluir e interagir, são incapazes de produzir a evolução das complexidades e gerar novidade.

A vida neste planeta, e em todas possíveis e exóticas formas que provavelmente existem no cosmo, apenas é possível quando a ordem e a desordem, aliadas, digladiam-se construindo complexidades. A vida se constitui em um dos inúmeros bolsões de complexidade que vagueiam no espaço. É provável que existam diferentes bolsões de complexidade no universo, não necessariamente iguais e nem mesmo parecidos entre si. Um dia, se tivermos sorte, faremos contato com eles. Contudo, observamos, ao menos por enquanto e esta ressalva é absolutamente essencial, que esses bolsões só podem evoluir até certo ponto. Depois, entram em colapso e morrem para se transformar em outra coisa.

Por que as complexidades são efêmeras?

A efemeridade das complexidades, como as dos seres vivos, as das civilizações, parece resultar de um comportamento triádico e cíclico - emergência (nascimento e inovação); divergência ou pluralidade (adaptação, conquista, expansão e maturidade); e convergência (estabilidade, enfraquecimento, declínio e morte) - para dar início a novo ciclo.

É exatamente assim que as nossas vidas individuais se comportam. Fomos fecundados (emergência), crescemos e nos multiplicamos (divergência), envelhecemos e morremos (convergência). A morte, que desmantela nossa complexidade estrutural e acaba com nossa organização, espalha nossos átomos para a construção de inúmeras novas estruturas. Analogamente, quando uma organização empresarial fracassa ou se desintegra, seus empregados infiltram-se em outras estruturas ou criam novas, assim como fazem nossos átomos.

A emergência é o componente criativo e inventor que se origina da desordem, da morte. Depois da emergência, a invenção se pluraliza, procurando se consolidar em um processo de divergência, gerando novas estruturas que se diferenciam no plural, mas obedecem ao plano da emergência inicial. O plural então se espalha com adaptações das mais estranhas. O plural é o componente estabilizador da ordem. Passado certo tempo, a diversidade do plural atinge seu clímax, quando a ordem e a especialização excessiva das invenções começam a fatigar. Aos poucos se inicia um processo de convergência, de extinção de padrões, de ordens que já não mais possuem serventia. A convergência é tão intensa que as estruturas se misturam simbioticamente, tateando novos rumos que antecedem uma nova emergência resultante da intervenção do acaso. E o processo ternário parece se repetir indefinidamente. Estamos cansados de assistir a essas transições na tecnologia, na política, na religião, na vida, e em todas as manifestações do universo.

Os sistemas complexos, que nada mais são do que organizações instruídas com mecanismos interativos, constituem estruturas instáveis, situadas no limite do caos, onde a ordem e a desordem, misturando-se, permitem que uma minúscula variação acabe resultando em enorme variação. É o chamado “efeito borboleta”, que sugere que um pequeno bater de asas de uma borboleta em um local acabe por ser a causa de uma grande tormenta a milhares de quilômetros.

O acaso acaba por determinar o que sucederá ao caos, parecendo-nos ser mesmo um princípio organizador espontâneo da matéria, conduzindo-a em uma espiral ascendente a estados cada vez mais complexos.

Para que servem os hereges

A vida, como sabemos, é um processo constelado de sucessos, alegrias e inovações, bem como de fracassos, retrocessos, becos sem saída, tristezas e sofrimentos. A vida, com tudo que ela arrasta, não possui destino determinista e ordeiro e nem se prende exclusivamente a ridículas batalhas competitivas entre os seres. A vida é uma reinvenção contínua, com capacidade de assimilar as surpresas da desordem e da novidade.

A partir do século XX, podemos dizer que cai por terra a noção, privilegiada por tantos séculos, de uma História que obedece a leis racionais e lógicas, com normas e regulamentos rígidos, com doutrinas inquestionáveis e fé inquebrantável, na qual o homem ocupa papel de máquina perfeita criada à semelhança e à imagem do Criador do universo. A mecânica relativista, e recentemente a mecânica quântica, virou-nos de cabeça para baixo. O século XX foi o século do despertar da ignorância, que nos permitirá uma nova alavancagem evolutiva, como afirmou Edgar Morin.

Um jurista romano disse: *Oportet haerese esse* – "É preciso haver hereges". Eles são necessários para que sejam formuladas perguntas audaciosas, mesmo que possam questionar doutrinas aceitas e autoridades camufladas de verdade. Os hereges sem estremecimentos não temem castigos e açoites e costumam não esperar recompensas, mesmo depois da morte. São eles que podem construir o novo, a mutação, o caos criativo.

Precisamos que os hereges realizem suas proezas mentais e questionem os dogmas impiedosos e estéreis da ordem, que costumam se enfraquecer na placidez de suas certezas congelantes. Aqueles que pretendem impor ordem a tudo, sentindo horror e medo dos hereges e esquecendo-se que esses são seus complementos indispensáveis, estão incapacitados de empreender um ato criativo. Homens e mulheres dotados de ênfase e ineditismo, os hereges são capazes de perceber aquilo que seus próprios olhos não enxergam.[30]

Copérnico, Galileu, Kepler, Newton, Descartes, Mozart, Darwin, Van Gogh, Einstein, Planck, Heisenberg, Freud e Picasso, todos hereges. Mas não são os hereges que constroem, com suas desordens mentais, novas visões ordenadas do mundo? Portanto, como ocorre com todos os opostos: ordem atrai desordem. A evolução de qualquer coisa é marcada por

30 Por falar em olhos, esses nossos detectores de fótons são altamente limitados. Podem decifrar apenas uma ínfima parte do espectro eletromagnético, a luz. Miríades de outras imagens possíveis permanecem ocultas para nós. As modernas próteses tecnológicas que construímos – radiotelescópios, microscópios eletrônicos, detectores de raios infravermelhos etc. – vêm ampliando a capacidade de nossos sentidos e começam a revelar um universo até então invisível, incompreensível.

agitação e confusão, jamais por calma e certeza. O equilíbrio e a calmaria da tranquilidade mantêm as efemeridades estáveis por algum tempo. Foi derrubando monumentos que criamos novas imagens do universo.

Em suas reflexões, Edgar Morin defende que o universo não pode ser totalmente racionalizado, pois há sempre algo que é irracionalizável. Diz o filósofo que um universo determinista, mecanicista, que fosse apenas ordem, seria um universo sem devir, sem inovação e criação. Seria entediado e empobrecido por absoluta certeza. Em contrapartida, um universo aleatório, que fosse apenas desordem, não conseguiria construir organizações complexas, sendo incapaz de conservar a novidade e de promover a evolução. Um mundo absolutamente determinado e ordeiro seria incapaz de evoluir, e um mundo absolutamente aleatório e desordeiro seria incapaz de nascer. Ambos seriam mundos mutilados.

A ordem e a desordem jamais se separam, uma está sempre embutida na outra. O melhor entendimento da dicotomia ordem-desordem pode nos ajudar a compreender mais o universo e o papel que desempenhamos nele.

6

COMPETIÇÃO E COOPERAÇÃO

Uma das mãos lava a outra, e as duas
estão muito melhor do que se estivessem sozinhas.
(Robert Wright)

Não há obrigação mais indispensável
do que a de retribuir uma bondade.
Todos desconfiam de quem esquece um benefício.
(Cícero)

O pensamento contemporâneo concede à competição o mérito de principal responsável pela evolução das estruturas vivas. Para a obtenção de sucesso, inventividade e aperfeiçoamento, uma estrutura viva reflexiva, como o Homem, necessita de um ambiente que estimule o conflito. Segundo esse raciocínio, quanto mais agressiva a competição, maior o benefício para a humanidade e o indivíduo. As guerras, portanto, seriam molas propulsoras do desenvolvimento e do progresso. Mas será a competição realmente um dos componentes fundamentais da evolução? A resposta é não, pelo menos segundo a interpretação do processo cósmico (capítulo dois) que nos parece mais condizente com o nosso estágio atual de conhecimento.

No decorrer do processo cósmico, as estruturas físicas, químicas, orgânicas e psíquicas rumam para estados emergentes de complexidade crescente, que requerem parcerias perenes. De acordo com essa linha de raciocínio podemos considerar a competição uma ideia perigosíssima (DENETT, 1998).

A competição no mundo natural

Seria a natureza uma arena na qual se desenrola uma implacável luta entre criaturas egoístas, uma guerra entre todos os indivíduos vivos, conforme sustentavam Aldous Huxley (1894-1963), Thomas Hobbes (1588-1679), Thomas Malthus (1766-1834) e Nicolau Maquiavel (1469-1527), que viam a natureza humana como essencialmente egoísta e individualista, exceto quando domesticada pela cultura? Ou o homem nasce bom e virtuoso para operar em equipe, vindo a ser corrompido pela sociedade, como pensavam Peter Kropotkin (1842-1921), Jean-Jacques Rousseau (1742-1778) e Platão (427 a.C.-347 a.C.)? Ou haveria ainda uma terceira alternativa, na qual nós nasceríamos essencialmente altruístas, cabendo à cultura o aperfeiçoamento dessa característica?

A competição nada mais é do que um comportamento preponderante dos seres vivos primitivos. E ela, aliás, não obteve tanto sucesso quanto se imagina. A competição foi instaurada neste planeta há cerca de 3,8 bilhões de anos pelos procariotas, células desprovidas de núcleo que foram os primeiros seres vivos de que temos conhecimento, surgidos logo após a formação da Terra. Depois de aproximadamente um bilhão de anos de existência em competições e espoliações recíprocas, os procariotas, agindo como se percebessem o insucesso de sua conduta competitiva, adotaram a simbiose e a cooperação para formar equipes (como os quarks formaram os prótons e os nêutrons no início de nosso universo). Ao "descobrir" as vantagens da cooperação e da solidariedade, os procariotas formaram as células nucleadas, os eucariotas. Esse momento passou a ser conhecido como "revolução eucariota", tendo constituído a base biológica dos futuros organismos multicelulares, altamente cooperativos e muito mais complexos, que surgiriam quase dois bilhões de anos depois.[31]

Se a vida é uma competição cruel pela existência, então por que observamos que a cooperação estimula a evolução tanto no mundo natural quanto na humanidade? Os seres que mais evoluem e se tornam mais adaptados e mais bem-sucedidos são aqueles que mais cooperam.[32] A vida não é uma

---

31 Como vimos no capítulo 2, a Terra deve ter se formado há cerca de 4,5 bilhões de anos e as primeiras células sem núcleo (os procariotas) podem ter surgido há 3,8 bilhões. Depois vieram as células com núcleo (eucariotas) e, muito depois, há cerca de 600 milhões de anos, é que surgiriam os organismos multicelulares. A espécie humana, o *Homo Sapiens Sapiens*, apareceu há cerca de 200 mil anos. Somos muito recentes no planeta e resultantes de um bilenar processo de cooperação.

32 Convém ressaltar que, por bem-sucedido, não estamos nos referindo àquele que tem riqueza material nem ao ganhador de grandes negócios à custa do alheio, como sugere o termo na modernidade, mas sim ao ser mais adaptado, próspero e mais feliz.

luta implacável entre seres egoístas, mas sim uma cooperação implacável entre seres altruístas.

A mutação genética e a seleção natural acabaram por incorporar aos genes da espécie humana impulsos emocionais de cooperação e de altruísmo recíprocos. Tais impulsos concederam mais sociabilidade entre os indivíduos, maior diversidade e complexidade aos grupos, características que nos distinguem das outras espécies vivas.

Tanto o egoísmo quanto o altruísmo e a ajuda mútua são produtos da natureza, e não resultados da cultura das civilizações. A evolução de tudo no universo depende essencialmente da cooperação. É por isso que a humanidade continua em destacada, natural e permanente evolução de complexidades crescentes, estimulada pela novidade da revolução cultural de nossa espécie. Disse Frei Beto em seu livro *A obra do artista*: "O que nos une é tão mais forte do aquilo que nos distingue".

A competição no fenômeno humano

Embora sua teoria geral da evolução das espécies ainda não explicasse o agente da evolução (a mutação) e nem como a ajuda mútua exerce tanta importância na evolução, o naturalista britânico Charles Darwin postulou de forma brilhante o mecanismo evolutivo, a seleção natural. Foi um extraordinário passo na compreensão da evolução. Ao vislumbrar que a finalidade da vida é a sobrevivência dos mais adaptados mediante o mecanismo da seleção natural, Darwin identificou meramente um processo parcial usado pela evolução.

A teoria de Darwin se constitui em uma das mais esplendorosas percepções da mente humana, mas se aplica somente a circunstâncias monótonas da existência, ao gradualismo evolutivo e à especiação adaptativa. A teoria da evolução não explica os saltos evolutivos, as descontinuidades, as novidades estruturais e os processos emergentes. Esses dependem não apenas da seleção natural, mas também de fatores como mutação, simbiose, cooperação e até catastrofismos, como o cometa que se chocou contra a Terra há 65 milhões de anos, extinguindo os dinossauros e abrindo o caminho para a evolução e o desenvolvimento de animais mais complexos, como os mamíferos.

A teoria evolutiva de Darwin foi imediatamente empregada pela aristocracia para justificar a crueldade no mundo industrial. Nascia o darwinismo social, que até hoje permanece impregnado em nossas mentes. Com seus abusos conceituais, o darwinismo social afirma ser natural que os fortes vençam os fracos e que os ricos explorem os pobres, fenômenos que a natureza nunca nos legou como princípios fundamentais.

Originada no século XIX, a interpretação darwiniana da natureza resultou nos conhecidos transtornos do século XX. A equivocada concepção da competitividade como clichê exclusivo da evolução resultou na inversão do ancestral conceito do mundo mágico, em que as coisas eram como se fossem indivíduos e tudo se encontrava interligado. A contemporaneidade adotou os conceitos de que os indivíduos são apenas coisas e de que tudo se encontra separado – superstições, aliás, perigosíssimas.

Se toda a natureza é uma sangrenta batalha, por que nós, humanos, deveríamos ser a exceção? Os atos mais cruéis realizados em nome da construção do mundo industrializado foram justificados pela noção de que a competição é natural e, portanto, moral. A mesma justificativa corrompeu a política, quando esta conferiu liberdade ilimitada aos mercados e estimulou ditaduras.

A competição, como todo paradigma extremista, tem o lamentável poder de atrair os indesejáveis, aqueles que falam com má compreensão do pensamento e do fenômeno humano, assim obliterando as sutilezas da existência e alimentando as chamas de controvérsias tolas e perniciosas, conforme comentou Daniel Dennet. A competição é utilizada pelos seres vivos em situações críticas de sobrevivência, quando o estoque de energias disponíveis é escasso e, em algumas espécies, em disputas eróticas.

O capitalismo, sem dúvida, é um processo evolutivo de grandes resultados para a civilização, mas começa a desvanecer sua importância por manter seu foco exagerado na competição como mola propulsora da evolução. Mesmo na selva, a cooperação é muito mais eficaz no processo criativo da natureza.

A cooperação no mundo natural

Aos que enaltecem a sociedade ultracompetitiva, e sua incitação da competição encarniçada, da luta a qualquer preço e da lei do mais forte, vale lembrar um exemplo da natureza: numa matilha de lobos ameaçada, o chefe regula a velocidade da fuga pelo passo dos pequenos e mais fracos, assim garante a sobrevivência da matilha e assegura maiores possibilidades de sinergia de seus componentes, visando a variedade que permite a evolução.

As bactérias que habitam os nossos intestinos são nossos parasitas ou o contrário? Estas bactérias não competem conosco e nem nós com elas. Elas sintetizam as vitaminas B e K, essenciais à nossa vida. Os cloroplastos, bactérias que se inseriram como hóspedes íntimos das células de plantas primitivas, possibilitaram a fotossíntese. Os cupins apenas sobrevivem por dependência de bactérias que habitam suas gargantas, digerindo a celulose da madeira. Se por um lado podem enfraquecer o hospedeiro, os parasitas também sofrem consequências. Se o hospedeiro morrer, o parasita irá com ele. Em contrapartida, a morte dos parasitas também causará a morte do hospedeiro. Os hospedeiros não deveriam matar os parasitas nem vice-versa. É mais vantajoso, para todos, por egoísmos individuais, manter a cooperação.

O beija-flor, ao se alimentar do néctar das flores, gentilmente recebe pólen nas patas e asas, para em seguida disseminá-lo pela terra, germinando novas flores.

Cooperação e simbiose. Os seres vivos são produtos da natureza, mas a natureza também é produto dos seres vivos. A coevolução solidária, uma ecologia de múltiplas interações, interdependências e intercâmbios cooperativos, constitui-se na essência complexa do fenômeno da vida. Podemos dizer que a vida não existe sobre a Terra, a vida coexiste simbioticamente com a Terra, da mesma forma como nossas células coexistem com o nosso corpo. As individualidades talvez não tenham a importância que lhes concedemos.

Na evolução o fundamental foi o processo de individualidades simbióticas, que acabam sempre por inventar, em fusão, novidades estruturais para novos tempos. As sociedades como as das formigas, das abelhas e dos cupins são exemplos deslumbrantes do que a solidariedade e a cooperação podem realizar. Elas abandonaram a guerra hobbesiana e se tornaram uma biomassa maior do que a dos humanos no planeta.

Somos o resultado das maravilhas das quais a solidariedade é capaz. Nosso corpo é um exemplo deslumbrante do que a cooperação pode fazer. O meu olho depende do meu coração. As nossas células são coligações, produtos de colaboração simbiótica de bactérias, como disse o zoólogo britânico Matt Ridley.

São fartas as evidências na natureza de que a evolução depende da competição, em determinado nível hierárquico e em situações específicas. Contudo, ainda que a competição fortaleça as estruturas para determinados ambientes, elas dependem da cooperação para enfrentar situações mais desafiadoras. Muitas vezes a natureza chega a exigir que as estruturas cometam altruísmos exagerados. Mas é bom ressaltar que muitas vezes o altruísmo em uma dimensão esconde o egoísmo em outra. A formiga pode ser altruísta, mas seus genes não o são, pois precisam derrubar rivais. O que importa é a ação cooperativa, independentemente de o indivíduo ser egoísta ou altruísta.

Independência e interdependência caminham juntas. A independência é importante para a sobrevivência individual em situações específicas, mas a interdependência é igualmente importante para a sobrevivência grupal, das complexidades superiores que engendram novos mecanismos. Trocando em miúdos: a competição está para o indivíduo assim como a cooperação está para os conjuntos, para as organizações, a novidade e a coletividade. A família é um exemplo dessa conduta.

A evolução apenas promoveu grandes saltos graças à incorporação simbiótica de componentes previamente aperfeiçoados em linhagens separadas. A sinergia sempre promoveu, na natureza, a união de formas distintas para compor uma nova forma inesperada e mais exuberante. Assim, as partes associadas, juntas e em cooperação ousam realizar aquilo que sozinhas, em disputa, não conseguiriam. "Se sou diferente de ti, antes de lesar eu te acrescento", disse, de forma brilhante, o escritor Saint Exupéry (1900-1944) em *Carta a um refém*.

A cooperação no fenômeno humano

Não é a competição que move o universo, por mais importância que ela possua em circunstâncias específicas. Esse papel cabe à cooperação. Para uma espécie, o mais importante não é a força, mas a capacidade de ser simbiótica, de modo a engendrar novidades e complexidades.

Colocamos o futuro em risco quando nos submetemos aos interesses da competitividade imediata, que é meramente um aspecto evolutivo. A variação da vida ocorre no domínio do gene (mutação), a competição ocorre no nível do indivíduo (progresso) e a cooperação ou a simbiose no domínio dos grupos (a evolução). Todas essas características estão indissoluvelmente conectadas, como as da química da vida, não sendo possível atribuir exclusividade a nenhuma delas como propulsoras do fenômeno da evolução. Contudo, em cada nível, e até mesmo em cada situação específica, um dos processos deve preponderar sem eliminar a influência dos demais.[33]

Conforme mencionou o jornalista e autor de divulgação científica Robert Wright, em seu livro *Não zero:* a lógica do destino humano, o antropólogo canadense Richard Lee dizia que os povos nômades costumavam ceder sem expectativas de retorno equivalente. Ainda na mesma obra, Wright acrescenta:

---

33 É como ocorre com as leis da física. A da relatividade tem preponderância no macrocosmo, nas dimensões universais; a da mecânica quântica prepondera no microcosmo, nas dimensões do infinitamente pequeno; e a da mecânica clássica prepondera no nível dos seres humanos. Todas, entretanto, encontram-se entrelaçadas.

"Uma das mãos lava a outra, e as duas estão muito melhor do que se estivessem sozinhas [...] o que é a exata definição de um jogo de soma não zero".[34]

A maioria dos jogos que praticamos é de soma zero, em que damos destaque ao vencedor. Mas também há jogos de soma não zero, como o frescobol, em que não há vencedores nem perdedores. Cada jogador deseja que o outro acerte também. O fenômeno da cooperação é um jogo de soma não zero, um jogo que é praticado desde os primórdios da vida na Terra, por meio de um processo de coligações e simbioses permanentes. Uma fusão de estruturas orgânicas que, renunciando às suas independências e virulências, explora novas vias que lhe concedem renovado vigor.

É oportuno enfatizar que novos organismos não emergem somente de estruturas anteriores em gradual evolução por meio da mutação e da seleção natural, que vão adicionando aos seres vivos características novas que são mais apropriadas ao meio ambiente que continua se alterando. Novas estruturas orgânicas também surgem, e talvez principalmente com maior rapidez e intensidade, por interações íntimas muito fortes e por fusões de organismos diversos. Surgem ainda pela ocorrência de catástrofes (climáticas, geológicas, biológicas e astronômicas) ou pela combinação de todas essas causas.

---

34 Robert Wright cita no texto mencionado: "Em 1970, quando os três astronautas da Apollo 13 estavam tentando descobrir um meio de fazer a sua espaçonave danificada retornar a Terra, viram-se envolvidos em um jogo absolutamente de soma não zero, porque o resultado ou seria igualmente bom para todos ou igualmente ruim – no caso, foi igualmente bom".

O mesmo ocorre na evolução humana. Tudo sinaliza que os humanos não conseguem viver uns sem os outros, sendo muito mais interdependentes do que os símios, os mamíferos em geral e as demais espécies dos diversos filos, incluindo-se os insetos, que vivem em grande solidariedade. A natureza humana é resultado da aglutinação de genes e ideias ao largo de dezenas de milhões de anos, processo que gerou uma complexa interação entre os indivíduos cada vez mais complexa. Já mais recentemente a sociedade humana sucedeu à dos *Homo erectus*, que por sua vez sucedeu à dos Australopitecos que se originara de remotos chimpanzés e bonobos.

Observamos o mesmo fenômeno na economia. Para ser evolutivo, o comércio deve ser um jogo de soma não zero. A permuta se efetua quando as partes em negociação saem todas vencedoras, quando ocorre o jogo de soma não zero. Já o jogo de soma zero em que um perde e outro ganha, como exemplificou Wright, costuma resultar em péssimas consequências evolutivas de longo prazo. Por que então estimular a competição? Por que afirmar à sociedade que a competição é a maior responsável por nossa evolução social e cultural, quando ocorre precisamente o oposto?

Vale a pena renunciar aos conflitos individuais para ganharmos a guerra coletiva, como fazem as abelhas, os cupins e as formigas, projetos dos mais bem-sucedidos na natureza, com suas estratégias solidárias e ecológicas. Na medida em que os jogos da vida vão se desenvolvendo, percebemos que a competição e o egoísmo não se constituem numa atitude evolutiva, demonstrando que mais vale uma equipe do que uma contenda de solitários. Somos hoje um conjunto muito mais complexo e afetivo do que quando éramos nômades. Não é de admirar que usemos as colônias de insetos como metáfora para justificar e enaltecer a colaboração humana e a força de equipes.

Embora o egoísmo seja responsável pela evolução em algumas situações muito específicas e por períodos de tempo diminutos, ele paradoxalmente acaba por resultar em cooperação. Os sistemas humanos ditatoriais ou tirânicos podem brilhar durante certo período de tempo, mas sempre acabam por sucumbir por contrariarem a tendência universal à solidariedade, à parceria e à cooperação. Apesar das incursões egoístas temporárias, a cooperação sempre ressurge. A vida não é um jogo de soma zero, não havendo assim vencedores.

A cooperação nos mundos físico e químico

Desde a origem do universo, há aproximadamente 14 bilhões de anos, as forças integradoras nos pressionam para melhor completar o trabalho de ordenação das complexidades. Foi seguindo esse estilo cósmico simbiótico que os prótons aprenderam a conviver dentro do núcleo atômico, apesar de se repelirem. A simbiose atômica acabou por gerar moléculas, e estas, em agregação química, constituíram os organismos unicelulares e depois os multicelulares.

A cooperação vai edificando estruturas cada vez mais complexas com o consequente desaparecimento ou enfraquecimento das estruturas mais simples que não aprenderam a construir grandes equipes da matéria e da energia. Caminharemos para uma nova síntese, que agregará os elementos psíquicos num só corpo. Inspirados na natureza e no estilo preponderante do cosmo, precisamos buscar nova negociação, associando à ânsia de conquistar o ímpeto de cooperar.

Somos essencialmente reminiscências de sucessos simbióticos, solidários, evolutivos e jamais de disputas acirradas. Se tencionamos desfrutar de alguma longevidade, precisamos abrandar o ritmo das disputas e melhor nos unir às demais criaturas. Evoluímos não por causa, mas *apesar*, dos conflitos.

O emprego da competição darwiniana como conceito fulgurante, que vem servindo de suporte filosófico para a exploração do homem pelo homem e o suposto sucesso da revolução industrial e tecnológica, tem na verdade resultado em certa destruição moral e ética das relações do Homem com o universo, com a natureza e consigo próprio. Se dermos primazia à competição, continuaremos com o risco de permanecer atiçadores de hostilidades. Distorcidos, tentaremos inutilmente maximizar nossos interesses celulares, nossos lucros e egoísmos, prejudicando o todo maior, o conjunto das nações e o próprio planeta. Então só restará aos mísseis, aos encouraçados e às drogas encerrarem a festa com fogos de artifício. E tal como o mitológico Sísifo, o processo cósmico terá que começar de novo.

Não podemos descartar a possibilidade de termos perdido o rumo nos últimos dez mil anos, quando traímos a natureza cometendo o pecado original, comendo vorazmente as maçãs e as gramíneas que ela fartamente nos oferecia. Edward O. Wilson cita em seu livro *A criação* (2008, p. 17):

> [...] nós evoluímos em um mundo biologicamente rico, ao longo de dezenas de milhares de gerações. Tampouco fomos expulsos desse Éden: nós próprios destruímos a maior parte dele, a fim de melhorar nossa vida e gerar mais pessoas, mais bilhões de pessoas, a ponto de pôr em perigo a Criação.

Segundo E. Wilson, a natureza era tudo que existia antes da chegada do homem - era o Éden. Aí ocorreu o impacto do "meteoro humano". Assim, o homem não foi expulso do Éden, ele se incorporou ao cenário e começou a perceber que é imprescindível dar início a uma época de cooperação para não destruir o paraíso - a Terra - antes do tempo.

PARTE III

O INIMAGINÁVEL

7

EM BUSCA DE UMA NOVA VISÃO DE MUNDO

Que Deus nos ilumine e permita
que nossas cabeças não sejam, como a galhada dos cervos,
apenas ornamentos incômodos da espécie.
(Bertrand Russel)

Brindados pela evolução biológica com um cérebro capaz de imenso número de conexões neurais e com uma estrutura física que nos permite a adaptação a quase todos os habitats da Terra, nós humanos desenvolvemos aptidões únicas no reino animal. Somos capazes de pinçar e manipular objetos, caminhar eretos, usar o fogo, preparar o próprio alimento, empregar linguagem verbal, não verbal, e escrever. Praticamos com intenção o mal e a generosidade e acreditamos em abstrações, como deuses criadores do universo que nos amam, protegem e nos garantem vida eterna. Contudo, de todas as conquistas, a maior foi a capacidade de refletir sobre o mundo e sobre nós mesmos, ao adquirirmos consciência.

O que nos destaca profundamente dos outros animais, todos dotados de idêntico padrão de código genético e, portanto, de mesma ancestralidade, é a consciência de possuirmos consciência. O animal irracional consegue ver o Sol, a árvore, outras criaturas e os rios, mas o que ele não sabe é que está vendo aquilo tudo. Saber que se sabe alguma coisa faz uma grande diferença.

Com a consciência de nossa consciência, estávamos capacitados para a evolução sociocultural, etapa iniciada há cerca de 12.000 anos e que ocorreu aproximadamente nos últimos 5% de nossa trajetória como espécie. Nessa época, denominada Holoceno, o clima da Terra se estabilizou, permitindo-nos o sedentarismo.[35] Com o assentamento, domesticamos os animais, aperfeiçoamos a agricultura, criamos ferramentas cada vez mais complexas e desenvolvemos a arte, a filosofia, as regras e os hábitos sociais, os mitos, as religiões e a ciência. Ao longo de centenas de milhares de anos, elaboramos alfabetos e outros códigos, como o da matemática e o da música. Aprendemos a administrar matéria e energia; gerir grupos sociais extensos e estruturados; utilizar e disseminar informação. Desde aquela época foi dado início à destruição progressiva do Paraíso. A nossa evolução deixou de ser essencialmente biológica, causada por mutações genéticas e adaptações naturais (ou eliminações), em razão de transformações culturais. Passamos de agentes passivos a ativos em nosso processo evolucionário, bem como na coevolução com o nosso planeta e o universo. E então,

35 Na antropologia evolucionária, o sedentarismo diz respeito à transição da civilização nômade para a de assentamento.

tendo obtido novas visões de mundo, adquirimos inquietude com a dignidade e a moral, qualidades que nos auxiliariam a desenvolver progressiva liberdade de fazer muito além do que a nossa natureza egoísta nos impõe (FERRY, 2008).

Devemos à imprevisível evolução sociocultural toda a glória e a prosperidade de nossa espécie. Fundamentada na confiança, na permuta equilibrada, na coordenação cooperativa, na afetividade e na preocupação com os nossos semelhantes, a evolução sociocultural se constitui em processo não linear e cumulativo de intercâmbio de ideias e inovações entre grupos de indivíduos e entre civilizações. O novo curso evolutivo acabou por gerar estruturas sociais cada vez mais complexas que passam por estabilidades, instabilidades e pontos de bifurcação, sendo em vários aspectos similar ao curso do fenômeno estritamente biológico.[36] Com a evolução sociocultural, após milhares de anos de quedas, recuperações e macromudanças, com a ordem e a desordem, com a competição e a cooperação, conseguimos alcançar o grau de desenvolvimento necessário para erguermos a cabeça e olhar com atenção para o céu.

---

36 No momento atual, nossa espécie caminha para mais uma importante etapa, a da sua planetização (a saída do conceito de nação-estado para o nível planetário), imaginada em 1947 pelo jesuíta Pierre Teilhard de Chardin. Este teólogo, cientista e filósofo, teorizou que as tecnologias de transmissão a distância da voz, da imagem e da informação (rádio, televisão e internet), resultantes práticas da teoria eletromagnética de James Clerk Maxwell (da segunda metade do século XIX), acabariam por nos conectar a uma consciência universal. Passaríamos a compor a noosfera, a camada psíquica e consciente da Terra, muito mais complexa do que os atuais grupos humanos. É o que estamos vivenciando no início do século XXI.

As novas percepções não tardaram a se revelar úteis para a nossa vida cotidiana. Passamos a entender o movimento das marés, os ciclos da Lua, os eclipses. Estabelecemos os primeiros observatórios astronômicos, como Stonehenge, criado pelos celtas há cerca de 3.200 anos na atual Inglaterra. Inventamos calendários, descobrimos o ciclo das estações e utilizamos o posicionamento das estrelas e planetas para conquistar os oceanos e recomeçar, mais ativamente, uma nova etapa de nossa globalização.[37]

Tornamo-nos uma espécie de extraordinário sucesso, inimaginável para quem olhasse os primeiros *Homo erectus*, ainda com um cérebro em rápida evolução, perambulando em minúsculos bandos, há cerca de um milhão de anos. Hoje, influentes e cúmplices na evolução do planeta, possuímos amplas e bem fundamentadas esperanças de sobrevivência e continuidade evolutiva, para estágios impensáveis, por mais que os catastrofistas de plantão ou os arautos do apocalipse afirmem o contrário.

Mirantes do universo

A busca por entender o mundo e como estamos inseridos nele é a ocupação da cosmologia, campo de estudo constituído não apenas pela ciência, mas também pela religião, artes, filosofia e demais áreas do conhecimento humano.

---

37 As primeiras etapas de globalização foram inauguradas por nossos ancestrais nômades que deram início à expansão de nossa espécie no planeta.

Porém, conforme discutimos no primeiro capítulo, nós humanos somos incapazes de saber como o mundo realmente é. Por mais evoluídos que sejamos em termos biológicos e socioculturais, ainda possuímos percepções limitadas. Precisamos nos contentar com formas transitórias de entender o mundo, "máscaras" que vestimos umas por cima das outras no longo baile de nossa trajetória. Parece que por mais que venhamos a evoluir, sempre algo irá nos transcender.

Tudo que conhecemos da "verdade" é aquilo que vemos do mirante em que nos encontramos. Mirantes são os locais biológicos, espaciais, temporais nos quais o universo produziu inteligência para observá-lo. Os valores, pensamentos e visões que o Homem nutre a respeito de tudo que ocorre, e que poderá vir a ocorrer, dependem do que ele pode observar do mirante em que se encontra. Mas o panorama de um mirante é determinado pelos conhecimentos e pelas percepções de cada época, estendendo-se até os limites do aparentemente impossível. Além desse limite não se consegue elaborar teoria, ficção ou sequer fantasia.

O nosso mirante é um planeta que orbita o Sol, apenas uma entre centenas de bilhões de outras estrelas que compõem a Via Láctea que, por sua vez, de acordo com as atuais observações, é uma entre centenas de bilhões de galáxias do nosso universo.[38] O ser humano é uma estrutura reflexiva que apareceu muito recentemente nesse mirante, e tão

---

38 Se essa perspectiva já nos parece vertiginosa, considere ainda que apenas começamos a perceber a existência de um multiverso ou de universos paralelos.

exótico como exóticas nos pareceriam as possíveis estruturas reflexivas que já surgiram e que podem continuar a surgir em outros mirantes do universo e do multiverso. Segundo alguns pensadores, a manifestação de inteligência, onde quer que tenha ocorrido ou venha a ocorrer, nada mais é do que a natureza passando a tomar consciência de sua própria existência, como dizia Huxley. Quando o *Homo sapiens sapiens* adquiriu autoconsciência, o planeta Terra se tornou um mirante para o universo.

Ao olhar o universo, uma das primeiras interpretações significativas que tecemos foi de que ele girava ao nosso redor. Além de centrais e solitários no cosmo, com ordem, beleza e perfeição imutáveis, seríamos também o seu propósito, gerados e fiscalizados por divindades ao mesmo tempo boníssimas, caridosas e tirânicas, sempre preocupadas com nossas imperfeições, tendências ao pecado e nossa salvação. Estávamos tutelados e à mercê dos desejos e humores de deuses que, paradoxalmente, detinham qualidades humanas.

Ainda que tenham manifestado essa concepção de formas diversas, todas as antigas civilizações tiveram a mesma intuição cosmológica: a de que estamos inseridos e intimamente ligados de alguma forma, não só uns com os outros seres vivos, mas também à Terra e ao universo. Nessa etapa de seus conhecimentos transitórios, que nesta obra denominamos "máscara mágica", o ser humano já começava a desenvolver um sentido de solidariedade.

O antropocentrismo

Há pouco mais de quatro séculos começou a despontar uma visão revolucionária a respeito de nossas vidas e do universo. O pensamento moderno entre os séculos XVII e XIX derrubou o geocentrismo, enfatizando o antropocentrismo, a razão e a liberdade. Caíam por terra tanto o cosmo quanto as divindades. O ser humano passou a ser o centro do mundo e o princípio de todos os valores morais e políticos.

O Homem agora estava sempre em busca de ordem, unidade, racionalidade, lógica e coerência. Luc Ferry (2010, p. 133) nos diz que:

> [...] não podendo mais acreditar em Deus, os modernos inventaram religiões de substituição, espiritualidades sem Deus ou, para ser direto, ideologias que, professando com frequência um ateísmo radical, agarraram-se, apesar de tudo, a ideais capazes de dar um sentido à existência humana, ou de justificar que se morra por eles.

Com a radical ruptura do heliocentrismo ocorrida ao fim do século XIX, surgiriam as ênfases nos "ismos" (nacionalismo, comunismo, capitalismo, cientificismo, patriotismo e tanto outros) que nos conduziriam a pensamentos e atitudes mortíferas. Essas novas visões de mundo, todas inseridas na etapa que aqui denominamos máscara determinista, foram se edificando, principalmente a partir do século XVII com a publicação dos trabalhos de Kepler, Galileu e Descartes, etapa que culminaria com a publicação da mecânica clássica de Newton (*Principia mathematica*, 1687). A máscara determinista tomaria grande impulso com a Revolução Industrial, com o darwinismo, o freudismo e as conquistas científicas de fins do século XIX (o eletromagnetismo) e início do século XX (a teoria atômica, a teoria da relatividade). O determinismo afogou-se com o surgimento da mecânica quântica por volta de 1920.

Entre os séculos XIX e XX, com o definhamento das crenças e da fé acentuado pelas ideias revolucionárias de Darwin, que afirmava termos os primatas como ancestrais, passamos a nos considerar insignificantes e resultantes do puro acaso. Segundo a nova interpretação, seríamos desprovidos de propósito e sentido, criaturas medíocres que apareceram neste planeta por meras circunstâncias e acidentes fortuitos. É oportuno ressaltar que a nossa suposta origem acidental de diminuta importância pode, vista por outro ângulo, conceder-nos uma relevância bem maior do que a postulada pelo criacionismo, conforme apontaram o astrofísico Carl Sagan e o físico brasileiro Marcelo Gleiser. Seguindo a hipótese criacionista, Deus, onipotente e onisciente, não teria originado vida e inteligência apenas neste recanto do universo, quanto mais em sete dias, mesmo que seja expressão metafórica dos delírios de nosso pensamento. Como Sagan e

Gleiser sugeriram com perspicácia, seria um desperdício se a inteligência houvesse se manifestado apenas aqui. Deus, com sua onipotência e onisciência, poderia criar quantos seres desejasse, fazendo com que o cosmo tivesse "muitas moradas". Enquanto na hipótese da origem divina não seríamos tão importantes porque existem infinitas moradas, na hipótese da origem acidental seríamos realmente especiais, uma verdadeira raridade no universo. Raridade que nos incumbe de imensa responsabilidade.[39]

Essas interpretações resultaram no crescimento de uma conduta individualista e materialista que instigava os indivíduos a se importarem apenas com os seus interesses pessoais e materiais. Adotamos a obsessão de crescer a qualquer custo para tudo consumir do mundo material e do mundo vivo, o que nos incitou à conquista de povos mais fracos, por guerras ou força econômica, levando-os à extinção ou submetendo-os aos nossos interesses. O antropocentrismo foi paulatinamente exagerado até culminar numa enorme e desleixada desconexão do homem com o universo. Passamos a entender que a vida depende apenas de entidades políticas, da eficiência da economia, do progresso, do mercado, do consumo, da tecnologia e do entretenimento, o que nos deixou com uma visão minúscula, imprudente e, paradoxalmente, arrogante sobre nossa existência. A intensa

---

39 "Existir em um cosmo sem objetivo, ter surgido por acaso é ainda mais significativo do que ter surgido como resultado de um plano misterioso: afinal, se nossa existência é acidental, somos um evento raro e não consequência de um ato premeditado que, presumivelmente, criou outras criaturas inteligentes pelo cosmo afora. Por sermos raros, somos preciosos" (GLEISER, 2010).

anemia espiritual e obesidade material na qual a humanidade está mergulhada, principalmente pela evolução de sua visão de mundo desenvolvida nos últimos cinco séculos, não apenas poderá retardar sua evolução, como também representar uma ameaça significativa à sua existência e às demais formas de vida na Terra.[40]

Novos caminhos: esgotamento e otimismo

A concepção paroxística do antropocentrismo agora se encontra em desenvolvimento superexponencial, colocando-nos num sistema que quer tudo inflacionar em nome do deus do progresso. Porém, o estudo dos sistemas complexos nos ensina que toda variação exponencial está sempre prestes a atingir abruptamente o seu limite.

A continuação do crescimento exponencial demográfico, e principalmente do consumo, ocorrido no século XX, poderá nos levar a um abrupto colapso. Em 1500, a população da Terra estava por volta dos 400 milhões. Em 1900, o número atingiu a cifra de um bilhão e meio. Em 112 anos, esse número foi multiplicado por 5. Em 2012, cerca de 7 bilhões de humanos povoavam o planeta,

40 Os pensadores contemporâneos denominam essa fase de "insustentabilidade do desenvolvimento", também denominada de "insustentabilidade", que costuma ocorrer quando o sistema social perde a capacidade de superar suas crises e instabilidades e inicia um processo de enfraquecimento exponencial. Nessas fases de instabilidade ocorrem saltos imprevisíveis que podem levar as sociedades a colapsos ou à emergência de novas estruturas com novas potencialidades. O fenômeno da vida e das sociedades nos mostra que muitas dessas fases ocorreram durante a evolução.

e até meados do século XXI essa cifra deve atingir os 9 bilhões. No entanto, deveremos ter no século XXI, por diversas razões, uma redução significativa na taxa de crescimento populacional. Assim muitos não nascerão, pois serão abortados na intenção, para que os poucos que nascerem tenham a chance de nos reintegrar à natureza, preparando uma nova síntese que nos levará para o cosmo. Toda criação exige destruição da anterior, como já apresentamos na Parte II – "Estranhas Alianças", que abordou a unicidade das aparentes ambivalências, a bipolaridade essencial ao equilíbrio dos contrários. Se há pecado, há de haver perdão; se há guerra, há de haver paz.

Hoje o que mais preocupa não é a explosão demográfica, o esgotamento de recursos energéticos da Terra ou outro tipo de cataclismo, que podem provocar desequilíbrios irreversíveis, mas as concepções fundamentalistas que costumam se amplificar perigosamente nos momentos de crise. O medo provocado pela ignorância de soluções para crises presentes sempre conduziu a humanidade a atos de selvageria, sacrifícios, genocídios, terrorismos, crenças perigosas e suicídios. Um exemplo foi o período da Inquisição, no século XVI, quando em nome de Deus nos matávamos sem piedade cristã. A perplexidade diante da falta de soluções para a crise intelectual, filosófica e de condutas daquela época acabou por nos levar a um estado que beirou a insanidade.

O nosso desenvolvimento atual, em inúmeras manifestações, encontra-se no limite, já com riscos visíveis de colapso global. O antropocentrismo pede socorro.

Dificilmente suportaremos multiplicar de novo por cinco a população do mundo nos próximos cem anos como aconteceu no século XX – e ainda mantendo a visão atual de mundo. Se não adotarmos um novo modo de pensar, correremos sérios riscos de extinção. E isso não decorre da finitude de recursos da Terra, mas sim do seu uso esbanjador e inconsequente, de nossas atitudes demasiadamente egoístas e de nossa incapacidade de administrar o muito complexo, o que aumenta a insustentabilidade do nosso sistema biológico.

Enquanto a Terra parece integrada ao cosmo, o nosso consenso sobre a vida definitivamente não está. E é aí, conforme exemplificaram Primack e Abrams (2008), que reside "a raiz de muitos problemas: estamos fora de sintonia com nosso planeta e nosso universo". Com as recentes distrações que desviaram seu olhar do céu, o Homem sucumbiu ao engodo do materialismo do marketing, que transforma inutilidades em artigos imprescindíveis e atribui valores irreais às coisas. Aqui vale a citação de Patrick Viveret, mencionada na obra *A via para o futuro da humanidade*, de Edgar Morin (2011): "Antigamente o que tinha valor não tinha preço; hoje em dia o que tem preço não tem valor". Essa conduta nos coloca num insaciável estado psíquico de frustração e inquietação que excitam à agressividade. Gananciosos e infelizes, jamais estamos satisfeitos com o que possuímos ou com as relações que mantemos. A fé mundial na propaganda, no consumismo exagerado e em adornos sofisticados acabou por se transformar numa minicosmologia de insatisfação, que substituiu os rituais pelos comerciais e os lugares sagrados pelas salas de televisão, shoppings e bolsas de valores. A extrema violência, os abusos do sexo e a corrupção, em todas as mídias e ambientes, deseducam, intoxicam e insensibilizam os nossos jovens, estimulando o aumento do uso de drogas e vandalismo produzindo aflição, ansiedade e desprazer de viver.

Não vale a pena trocar o nosso olhar para o universo por olhares para televisão e games. Afinal, conforme nos lembra Brian Swimme (1999, p. 58), "O consumismo se baseia na suposição de que o universo é uma coleção de objetos inanimados. É por esta razão que a depressão é um aspecto corrente em todas as sociedades de consumo". Em seguida, diz ainda Swimme:

> Não importa quantos programas de prevenção do abuso de drogas existam nas escolas, nem quantos presídios sejam construídos, nem quantos novos policiais contratados e nem quantos traficantes sejam presos, o número de vidas arruinadas pelo abuso de drogas continuará a crescer enquanto tentarmos nos convencer de que podemos viver numa sociedade de consumo coberta de asfalto, dominada pelas máquinas, biologicamente destrutiva e espiritualmente carente, sem contato

> com os poderes de inspiração divina que impregnam cada ser no universo.

Edgar Morin comenta o mesmo tema em seu livro *A via para o futuro da humanidade* (2011, p. 27-28):

> O crescimento é concebido como o motor evidente e infalível do desenvolvimento, e o desenvolvimento como motor evidente e infalível do crescimento. Os termos são simultaneamente fim e meio do outro. Por isso, como afirmou Kenneth Boulding: "Qualquer um que acredite que um crescimento exponencial pode durar para sempre num mundo finito ou é um louco ou um economista".

Tudo nos leva a acreditar, como mencionou Edward O. Wilson, que somos uma espécie muito frágil e recente que vive em um momento extraordinariamente crítico, pois atuamos com emoções da Idade da Pedra, com instituições medievais e tecnologia que se ombreia com a dos deuses. Assim estamos vivendo um momento muito vulnerável às mudanças que ocorrem. Segundo a sociobióloga Rebeca D. Costa (2012, p. 31 e 39), "o ritmo em que o cérebro humano pode desenvolver novas faculdades é milhões de anos mais lento do que o ritmo em que os seres humanos podem gerar mudanças e produzir novas informações". Ela prossegue: "O ponto a partir do qual uma sociedade não consegue mais descobrir uma saída para seus problemas é chamado de limite cognitivo". É como se fosse uma carga de complexidade que se torna insustentável pela sociedade. Para a sociobióloga, "os sinais de um limite cognitivo começam a aparecer muito antes do colapso, de modo que há muito tempo para agir".

Com as transformações tecnológicas e a complexidade das infraestruturas sociais crescendo vertiginosamente, a demanda, a confiabilidade e os tipos de sistemas de energia tornam-se mais críticos; nossa capacidade de administrar as mudanças encontra-se debilitada. Convém lembrar que os colapsos dos impérios maia, romano, egípcio, khmer, ming e bizantino tornaram-se vulneráveis à decadência pela incapacidade de administrar as transformações ocorridas naquelas civilizações.[41]

Seria interessante que a cosmologia fosse incluída como assunto em todos os níveis de ensino formal, do fundamental ao superior, em doses adequadas. Assim tentaríamos conectar as gerações futuras ao universo, para melhor se adaptarem à evolução de nossa espécie. Educação que possa nos conferir um mínimo de conhecimento do mundo e nos ajudar a dar continuidade ao êxito cósmico obtido até aqui pela humanidade. O nosso problema não é salvar o planeta, que a muitíssimo longo prazo não tem nenhuma expectativa

---

41 Sugiro duas leituras a esse respeito: *Collapse*: how societies choose to fail or succeed, de Jared Diamond, e *Colapso de tudo*, de John Casti.

natural de salvação, mas sim o de salvar e dar continuidade ao fenômeno da inteligência reflexiva que surgiu aqui na Terra com a espécie humana, um meio escolhido, possivelmente pelo "divino" acaso, para o crescimento da complexidade do universo.

De que adiantará deixarmos um espólio ecológico, com grande progresso, tudo aparentando organização, mas habitado por filhos empanturrados, mimados, desrespeitosos e desesperados? De que adiantará deixarmos filhos angustiados que, tendo desaprendido a meditar sobre o universo, ficaram embriagados pelo entretenimento, comportando-se como turistas cujo objetivo é se divertir e "badalar" no planeta? Trata-se de um sério equívoco pensar que temos que legar um bom planeta para nossos filhos, quando mais importante do que isso é deixar bons filhos para o planeta. Filhos capazes de traçar novos caminhos e que consigam entender a advertência de Einstein, de que os problemas gerados pela civilização industrial, de paradigma materialista, só poderão ser resolvidos pela orquestração de uma nova forma de pensar. Filhos que possam constituir uma unidade psíquica superior, a noosfera, uma civilização mais complexa com sofisticado grau de cooperação entre seus componentes, uma verdadeira civilização planetária livre de nacionalismos e de facções sectárias e religiosas, que possam transformar os seres humanos em "deuses" que, colonizando os sistemas estelares de nossa galáxia, completarão a nossa metamorfose rumo às estrelas.

Um novo olhar para o universo irá nos permitir sair da concepção do "eu antropocentrista" para o "eu cósmico", em que tudo será sutilmente entrelaçado, como um tapete quando olhado por debaixo. A produção intelectual sobre as mudanças de paradigmas é vasta, evidenciando que existe uma necessidade real de alteração da conduta da humanidade, que só surgirá com uma nova visão de mundo. Mas além dos pensamentos pessimistas, temos também as versões otimistas que não podem ser descartadas. Em *El optimista racional*, Matt Ridley (2011, p. 346) afirma: "O século XXI será uma época maravilhosa para estar vivo".

A máscara da incerteza

No começo do século XX, com o advento das físicas relativística e quântica, o Homem abriu novas vias de percepção. A antiga calma e perfeição serena do universo – das máscaras mítica, geométrica, medieval e determinista – foi suplantada por um universo em turbulência, em que diversos fenômenos ocorrem: vida e morte de todos os corpos celestes, colisões de astros e galáxias, buracos negros, estrelas em explosão, quasares, estrelas de nêutrons. O mundo objetivo, lógico e determinista, alicerçado no pensamento clássico, implodiu e desmoronou como um castelo de cartas. Estabeleceram-se assim as condições para a criação de uma nova cosmologia que promovesse o nosso reencontro com a natureza. Uma cosmologia cujas possibilidades são tão infinitas e inimagináveis que decidimos denominá-la "máscara da incerteza", inspirada no "princípio de incerteza" da mecânica quântica formulada por Werner Heisenberg, prêmio Nobel de física de 1932. As observações do universo e do comportamento da matéria, as novas teorias e modelos que elaboramos para explicar os fenômenos do aleatório e da imperfeição e os testes que realizamos para validar essas teorias conduziram-nos à percepção de que vivemos em um universo com bilhões de galáxias, cada uma com bilhões de estrelas. Além disso, aparentemente existem vários universos, constituindo o multiverso. Essa e outras recentes observações levaram-nos a aprofundar os estudos sobre o modelo do Big Bang, para explicar a origem do nosso universo. O Big Bang nos permitiu estabelecer um início para o nosso cosmo, substituindo assim as teorias da eternidade, de máscaras anteriores. Sabemos hoje que o universo se encontra em expansão. Porém, o que se expande não é a matéria, mas o próprio espaço, que arrasta a matéria existente. Começamos a perceber que a expansão do universo é acelerada por uma energia escura, que não sabemos ainda bem do que se trata, e já consideramos outras possibilidades além do Big Bang.

Como já vimos, nada é previsível para além de certo período de tempo. Tudo é possível e provável. Portanto, tudo é imprevisível. O fortuito está no comando. A imutabilidade dos céus deixou de existir em 1572, quando se percebeu o aparecimento súbito de uma estrela supernova. Temos a capacidade de prever certos acontecimentos macroscópicos em limitados períodos de tempo, que variam para cada dimensão e espécies de estruturas ou fenômenos. A matemática moderna que constrói a teoria do caos, desenvolvida na segunda metade do século XX, estabelece que muitos fenômenos universais são absolutamente imprevisíveis.

O fenômeno da inteligência gerada pela progressiva e agora acelerada complexidade da matéria, que assim se torna cada vez mais consciente, pode até ser um propósito evolutivo do universo, mas as espécies animais, incluindo a humana, não o são. O propósito evolutivo pode ser atingido por infinitas formas de estruturas não necessariamente semelhantes à nossa. Segundo o conhecimento atual, a espécie humana é produto de um processo evolutivo, resultado de um número incalculável de contingências. Nossa estrutura habita uma região entre os cosmos micro e macro, apoiando-se neles e existindo em razão deles. Encontrando-se nessa estranha situação, o Homem, entre todas as estruturas da matéria e da energia que se conhecem até agora, é ele próprio a de maior complexidade.

Nossa salvação não virá dos céus. Ela deverá surgir de nossas próprias forças, de nossas entranhas estranhas (mas não a qualquer preço), para podermos melhor contemplar a harmonia cósmica em novo nível de percepção, quando então teremos uma revolucionária visão de mundo.

A máscara da incerteza pode nos religar ao cosmo, fazendo com que não nos sintamos nem efêmeros pormenores na imensidão do universo, nem o seu centro e propósito. O Homem faz parte do todo. Ele é uma parte, um pedaço do tecido cósmico. Excluindo atitudes de domínio e ideologias dogmáticas, que estimulam a exploração da natureza e o egocentrismo, a máscara da incerteza tem foco no coletivo, no intercâmbio, na parceria. Promove um encontro do contemporâneo com o mágico, reunindo a mente humana ao cosmo. Estimula a substituição do racional pelo intuitivo; prefere a síntese à análise reducionista; enfatiza a cooperação em detrimento da competição; sobrepõe a qualidade à quantidade; aprecia mais a parceria do que o domínio; substitui a visão antropocêntrica pela visão de um universo sem centro.

E como o Homem irá se sentir, vestindo a máscara da incerteza? Abatido pela certeza de não saber, surpreendido pela força criativa e inventiva dos sistemas afastados dos estados de equilíbrio, atordoado pela perda de importância da razão, abandonado na favela galáctica de um universo sem centro, atormentado pelo horror de uma solidão cósmica e confuso pela constatação da importância do erro e do acaso.

Na máscara da incerteza, a noção de progresso e desenvolvimento é substituída pelo conceito de prosperidade e evolução. O poder, a riqueza desmedida e concentrada, o racional e a própria democracia tornam-se obsoletos com a entrada gradativa do novo paradigma da interconexão e de relacionamentos profundos do Homem com o cosmo. O conceito de globalização é substituído pelo de planetização, que pode marcar o fim das nações e dos fundamentalismos. Como comenta o filósofo húngaro Ervin László, deixamos a civilização de mythos (dos espíritos) para a de theos (dos deuses). E, em seguida, deixamos a de theos para a de logos (de lógica racional e mecanicista para a ordenação das coisas). Agora estamos deixando a civilização de logos para a inspirada no holos (de lógica integrada com a razão, de coexistência e de cooperação). O sentido do Homem individualista e materialista, heroico, racional, autônomo e feito à imagem e semelhança do Criador, que acabou por se separar da natureza, começa a esvanecer.

Derrubando a crença de que a espécie humana é a única detentora de alma, a máscara da incerteza impede o Homem de se considerar superior às demais espécies. Deus e os anjos já não estão mais entre a Lua e o *Imperium*. Eles, transcendentais, encontram-se para além do Big Bang, do multiverso, para trás de 14 bilhões de anos, quando não existiam o tempo, o espaço e a matéria. Já não há Purgatório entre a Terra e a Lua. A física clássica determinista, de causa e efeito, cede lugar à relativista e quântica, aos conceitos da incerteza e do aleatório. O espaço tridimensional e o tempo unidimensional absoluto nada mais são do que aspectos de um mesmo *continuum*. O tempo passou a ser função do movimento do observador e da matéria. A geometria euclidiana, que perdurou por muitos séculos, sucumbiu como expressão da manifestação essencial da natureza. Os planetas se movem ao redor do Sol porque o espaço é curvo, e não porque o Sol os atrai. No mundo subatômico, a natureza é incerta e ambígua, ora manifestando-se como ondas, ora como partículas. No mundo atômico, a incerteza predomina sobre o determinismo newtoniano e constatamos um estranho fenômeno que nos deixa perplexos:

pode existir efeito sem causa e o presente pode depender do futuro. O mundo material dissolveu-se, passando a ser um mundo com tendências a existir. Os objetos materiais se constituem somente em padrões de relacionamento energético. Os fenômenos só existem quando observados. Partículas que interagem à distância não possuem necessariamente alguma ligação causal. Com a visão materialista e mecanicista enfim contestada, a ciência se reaproxima do divino e do mágico.

A melodia secreta

A ciência nos revelou que matéria é energia congelada. Quando organizada, ela pode se tornar reflexiva, passando a possuir consciência de sua própria existência. Esse processo cósmico de agregação contínua permeia todo o universo, formando complexidades cada vez maiores. O universo já não é uma "coisa", nem a imensa máquina de Laplace. Não é algo para ser apenas admirado ou inventariado. É uma forma de ser, uma melodia secreta, a melodia de Kepler. Talvez seja um vasto pensamento, um cérebro descomunal. O universo pode ser uma estrutura reflexiva, manifestação de uma complexidade suprema.

O processo não para, e não somos, de forma alguma, o final de nada nem estamos sozinhos no salão cósmico. Onde quer que as condições sejam propícias, eclodem manifestações da complexidade que se indagam: "Por que estou aqui?" Nós, humanos, somos uma dessas manifestações. Não somos criaturas finalizadas e únicas. Somos uma tendência, uma janela no tempo e no espaço.

Moléculas orgânicas já foram detectadas em vários rincões do cosmo, até mesmo em cometas e meteoritos, evidenciando que o código químico que nos construiu é de fato um processo cósmico. A hipótese da panspermia afirma que há sementes da vida espalhadas pelo cosmo. Nós, humanos, não somos um fenômeno isolado, nem estamos no fim ou no início de uma trajetória. Porém, se existem "muitas moradas no universo", onde estarão os extraterrestres? Talvez eles estejam mais próximos do que imaginamos e nossas limitações sensoriais não nos permitam percebê-los, assim como uma molécula de água não percebe a existência humana.

Mas o que o futuro nos reserva? Se a expansão do universo prosseguir indefinidamente, morreremos pelo frio, porque depois de esgotarem suas fontes de energia, as estrelas irão se apagar uma a uma. Em contrapartida, se a expansão do universo reverter seu sentido, iniciando assim uma contração, acabaremos queimados e engolidos pelo voraz buraco negro que se formará no centro de tudo. Em qualquer uma das alternativas, será o fim do baile de máscaras.

E depois? Será o nada? Nada terá sobrado do esforço bilenar do universo para gerar complexidade, inteligência e informação? A física nos evidencia que gerar complexidade consome energia, promovendo o aumento de entropia do universo. Ao final de centenas de bilhões de anos, quando o nada será atingido, talvez tanta destruição, tanto aumento de entropia tangenciando o infinito já tenha gerado tamanha complexidade que o universo poderá se desassociar da matéria. Virá um universo de complexidade quase infinita, que não necessitará de suporte material para existir.

8

UMA ODE AO OTIMISMO

A única coisa da qual podemos ter certeza a respeito do futuro é que ele será absolutamente fantástico.
(Arthur C. Clarke)

O Homem é sempre limitado pelo mirante de sua época. Para os primitivos, o ato de voar estava além das possibilidades humanas. Mais tarde, Leonardo Da Vinci (1452-1519) e outras grandes mentes acreditaram na capacidade do Homem em desafiar a gravidade, mas mesmo eles não conceberam que um dia nós seríamos capazes de pousar na Lua (1969) e empreender viagens não tripuladas entre as estrelas. Para os homens do século XVII, como já nos referimos, era inimaginável a comunicação quase que instantânea entre pessoas, que sua imagem, voz e pensamentos pudessem estar simultaneamente em todos os lugares, da maneira como hoje fazemos.[42] Com o advento das tecnologias de rádio, televisão e internet no século XX, atingimos certo grau de ubiquidade, característica até então

42 Oportuno lembrar que a fala, a escrita, a imprensa, a fotografia, os filmes e os atuais registros de nosso DNA se constituem em estágios de desenvolvimento de um tipo de imortalidade da nossa espécie.

atribuída apenas aos deuses. Conseguimos estar em todas as partes, com nossa voz, imagem e ideias, mais ou menos ao mesmo tempo.

Para os nossos antepassados, era igualmente inimaginável o atual uso da energia e do conhecimento do comportamento dos átomos e das moléculas para atender às necessidades do nosso dia a dia, para o funcionamento de chips, laptops, MP3s, televisores, ressonâncias magnéticas e outras ferramentas cotidianas. Para eles, também era inimaginável o que sabemos hoje sobre genética, nanotecnologia, mundo atômico e nossa ascendência ancestral primata. Inimaginável, até muito recentemente, o fato de que todas as formas de vida que existem neste planeta obedecem a um mesmo código genético, determinado em épocas remotas pelas condições da Terra, entre infinitas possibilidades. Todos os seres vivos tem a mesma ancestralidade. Era inimaginável o conceito de que o universo está em expansão e que parece gerar espontaneamente, com criatividade e persistência, estruturas cada vez mais complexas e reflexivas. No mirante do século XXI, a ficção sonha com feitos que nos parecem impossíveis, como viagens no tempo, máquinas e estruturas orgânicas-inorgânicas dotadas de inteligência artificial, clonagem humana, teletransporte, extensão de vida saudável com envelhecimento controlado e beirando a imortalidade, mutação genética para um novo tipo de vida e de consciência no espaço sideral.[43]

43 Se lhe parece uma perspectiva impossível, convém lembrar que nossa espécie viveu mais de 98% de sua existência com expectativa de vida abaixo de 20 anos.

Talvez um dia, com o surgimento de novos conhecimentos, até essas "fantasias" e outras tantas venham a se concretizar. Poderemos até comprovar que existem infinitos "eus" de cada um de nós vivendo simultaneamente em infinitos universos. No escoar do tempo, o nosso horizonte se expande e aquilo que era improvável, muito difícil ou mesmo impossível, pode vir a acontecer ou ser descoberto.

O cientista e jornalista britânico Matt Ridley (2011) vê com esperança o futuro próximo da espécie humana. Conjecturou que a humanidade seguirá inexorável no seu rumo evolutivo de metamorfoses permanentes, apesar da ocorrência de colapsos localizados. Para Ridley, a prosperidade continuará a se expandir. Sem os exageros da concentração de riqueza e sem taxas de crescimento em ascensão, teremos grandes avanços na tecnologia e no intercâmbio de ideias, facilitado pela crescente interconectividade. Com o declínio do hedonismo, o Homem consumirá apenas o necessário para seu conforto e necessidade evolutiva, reduzindo a diferença entre ricos e pobres. O conhecimento florescerá, as concentrações urbanas vão diminuir, e o meio ambiente encontrará equilíbrio. Haverá redução das enfermidades, melhoria em longevidade e saúde, maior liberdade e queda das taxas de crescimento demográfico. Ainda segundo Ridley, caminhamos para um período de prosperidade, fundamentado no amor, na fraternidade e na conscientização das transformações. Como já citamos anteriormente, este pensador enfatiza que "o século XXI será um período extraordinário para se estar vivo".

Por inédito acaso somos responsáveis por tentar salvar a criação vencendo as forças de extinção.[44] Ao fim do século XXI, tendo obtido essas conquistas tão importantes, qual seria a etapa seguinte para a nossa espécie? Apesar da redução do crescimento demográfico, o aumento da longevidade e a sofisticação das estruturas sociais e tecnologias, haverá um consumo cada vez maior de energia, colocando assim em risco o equilíbrio que tivermos alcançado em nosso planeta. Uma solução provável para esse problema seria o êxodo para o espaço. No começo, devemos explorar mais intensamente o nosso sistema solar, enviando robôs dotados de inteligência artificial para os demais planetas, provavelmente começando por Marte, Vênus e os satélites maiores de Júpiter e Saturno. Esses robôs serão os nossos bandeirantes explorando os recursos minerais dos astros e adaptando seus ecossistemas para a colonização por nossa espécie.[45]

---

44 A maior parte das espécies que viveram e vivem ainda neste planeta foram extintas em pelo menos cinco grandes extinções em massa ocorridas há 440, 370, 250, 210 e 65 milhões anos. Esses eventos foram arrasadores e nos mostram que a vida sempre dependeu da morte para evoluir. A doença, a fadiga ou o acidente destroem o vivo criando condições para nova eclosão de vida. A célula viva vai morrendo com o tempo e a célula que insistir em não morrer, recusando sua autodestruição, vai se reproduzindo sem cessar e acaba matando seu hospedeiro. Doença muito conhecida.

45 Freemam Dyson, físico da Universidade de Princeton, em seu livro *Disturbing the universe*, e o físico russo Nikolai Kardashev classificaram as civilização em tipo I, II e III, com base na progressão de seu consumo de energia. A civilização de tipo I é aquela que domina todas as formas de energia da Terra, o que requer uma civilização planetária. A do tipo II domina a energia da estrela central; e a do tipo III obtém energia explorando os sistemas estelares de toda a galáxia. A nossa civilização atual é do tipo 0 (zero), ainda imatura e cheia de perigos e rupturas. Presume-se que

Mas se o Homem é uma inteligência reflexiva, criada pelo universo com o propósito de observá-lo, sua expansão não deve se limitar aos planetas do Sol. Teremos de iniciar uma nova fase de expansão por nossa galáxia e ir além. Com esse fim, teremos de submeter os nossos corpos a uma metamorfose ainda mais radical e manter populações que possam garantir, pela diversidade, um saudável repositório genético em cada novo ambiente. Para salvar a Criação, devemos assegurar uma ampla diversidade do repositório genético nas astronaves e em outros corpos celestes a serem visitados, pois, se a diversidade e a população forem muito pequenas, um surto de enfermidade ou uma mudança brusca do ambiente levaria a experiência colonizadora ao fracasso. Nessa jornada não poderemos pretender alterar os hábitats de outros astros para que lá possamos continuar nossa jornada da maneira como somos.

Por mais avançadas que possam vir a ser as nossas tecnologias de terraformatização,[46] não será possível replicar

---

levaremos ainda alguns séculos para atingirmos a condição de civilização de tipo I. Isso só será possível se superarmos os riscos existentes em nossa sustentabilidade e evolução; se dominarmos os segredos da vida (a ciência biomolecular); se desenvolvermos a inteligência artificial e os segredos do átomo (a ciência quântica). Ver também o livro *Visões do futuro* (2001) do físico Michio Kaku.

46 O termo *terraforming*, cunhado nos EUA na década de 1970, significa formação de astros semelhantes à Terra. Cientistas trabalham a hipótese de transferir alguns dos satélites de Júpiter (que têm dimensões próximas as da Terra e que possuem água congelada) para as proximidades de nosso planeta. Estes satélites passariam a orbitar a Terra, quando passariam a ter condições de manter a água em estado líquido, aspecto essencial à vida. Teriam seus eixos de rotação estabilizados e inclinados em relação ao plano de suas órbitas, para permitir o ciclo de estações. Estes novos satélites da Terra seriam contaminados por bactérias que, em seu

exatamente as condições de nossa Terra em outros mundos. Caberá ao homem não apenas tentar modificar esses novos ambientes; ele terá também de modificar a si próprio ou será forçosamente modificado pelos novos ambientes. Os avanços da genética permitirão aos seres humanos adaptar seus corpos para gravidades maiores ou menores, para composições físico-químicas de atmosferas alienígenas e para absorver energia de maneiras distintas[47].

As mudanças serão tão acentuadas que o *Homo extraterrestrialis* não se identificará conosco e nem poderá procriar com nossa espécie que será, nesta época, um longínquo ancestral, como as bactérias hoje o são de nós. Essa nova etapa evolutiva deve representar, como já nos referimos, um salto de maior amplitude do que o ocorrido quando nossos ancestrais saíram da água para terra, mudando de peixes para répteis e mamíferos. Porém, como será essa nova transformação, de que forma e quando ela ocorrerá já é algo que se encontra para além da capacidade de visualização da máscara da incerteza. Para nós, esse futuro, que pode não estar tão distante, encontra-se no terreno do inimaginável. Mas tudo indica que estamos a

---

metabolismo, gerariam uma atmosfera semelhante à nossa. Poderíamos, assim, criar um hábitat extraterrestre para nossa espécie tal como ela é hoje. É uma hipótese.

47 "Na verdade não há motivos para acreditar que os seres humanos como espécie irão durar para sempre. Pelo contrário, é óbvio que, durante os infinitos períodos de tempo, algumas espécies crescem, outras desaparecem, geradas e destruídas no incessante processo de mudança. Houve outras formas de vida antes de nós, que não mais existem; haverá outras formas de vida depois de nós, quando nossa espécie tiver desaparecido" (Sthephan Greenblatt no livro *A virada* (2011).

caminho de extraordinária transformação para dar início a uma nova origem. Não serão as naves espaciais que estamos enviando ao espaço os escaleres que vão nos salvar do naufrágio inexorável da Terra e nos conduzir a novos hábitats?

Da mesma forma que a ciência surgida em fins do século XVI revolucionou a nossa forma de entender o mundo, ela poderá, num futuro próximo, desaparecer. Surgirá então outra forma de pensar – inimaginável para nós. Uma nova maneira de interpretar o universo, diferente de todas que tivemos até hoje e que proporcionará uma nova conduta para os novos seres pensantes já metamorfoseados.

Mas todas essas previsões só poderão vir a ocorrer se escaparmos ilesos dos conflitos que geramos até hoje e dos riscos naturais aos quais estamos atualmente submetidos. Os registros fósseis evidenciam que as espécies, depois de certo tempo, costumam desaparecer completamente. Ao interpretar as eras geológicas, verificamos que, em média, uma espécie por milhão é extinta a cada ano.[48] Porém, com certo otimismo racional e considerando todos os problemas que superamos durante os 200 mil anos de nossa existência, podemos considerar que a nossa espécie tem ainda chances de mudar o

48 Recomendo a leitura do livro *A criação*: como salvar a vida na terra, de Edward Wilson (2006). O autor é um dos mais importantes biólogos do século XX. Neste livro, Wilson afirma que hoje a taxa de extinção é cerca de cem vezes superior à taxa de surgimento de novas espécies. Assim, estaremos presenciando o maior surto de extinção desde o final do Cretáceo, há 65 milhões de anos. Tal surto é motivado principalmente pela destruição de hábitats, causada pelo aquecimento climático, alastramento de espécies invasoras, crescimento da população e da poluição, exploração e consumo energético excessivos.

rumo das coisas ainda por um longo tempo, fazendo as pazes com a natureza para superar todos os obstáculos que estão por surgir. Contudo, como os nossos olhares para o universo têm nos ensinado, é o inimaginável que realmente moldará o futuro.

Conversamos neste livro sobre um possível *Como*, que já nos faz perceber que pertencemos a algo que nos ultrapassa, o inimaginável que nos transcende, que pode nos ajudar a moldar uma nova visão do universo, uma nova máscara, com um novo "olhar para o universo". Mas só teríamos as respostas ao *Por que* e ao *Para que* se pudéssemos perguntar diretamente a Deus.

Procurando Deus

Pintura a óleo de Georgina Uchôa
(Acervo pessoal Cleofas Uchôa)

O chimpanzé Huck olhando as “Plêiades”
no Observatório Astronômico de Búzios.
(Acervo pessoal Cleofas Uchôa)

Nossa Galáxia, a Via Láctea, contém cerca de 400 bilhões de estrelas e o nosso SOL é uma delas. Estima-se que nela existam cerca de 17 bilhões de planetas similares ao nosso.

(Acervo NASA)

Um aglomerado de galáxias.
Existem bilhões destes aglomerados.
Um dia estaremos lá.
(Acervo NASA)

POSFÁCIO

EDUCAÇÃO – O QUE NOS DISTINGUE COMO ESPÉCIE

Há duzentos mil anos surgíamos nós, a espécie *Homo sapiens sapiens*. Moldados para uma determinada configuração e ambiente, durante 93% de nossa existência fomos nômades. Depois, graças a um período de estabilidade climática do planeta, e à nossa notável flexibilidade e adaptabilidade, adotamos o sedentarismo, o que nos proporcionou alterar o meio ambiente e assim desenvolver cultura e tecnologia. Nesses duzentos mil anos nada mudou em nossa estrutura biológica. A mais relevante característica que nos distingue dos nossos ancestrais é cultural: a capacidade de desenvolver, acumular e transmitir conhecimento de uma geração para a seguinte. Em outras palavras, educação. Infelizmente, apesar de sucessos isolados, acabamos por adotar uma educação essencialmente utilitarista, que se limita a capacitar indivíduos para tarefas práticas ou a criar eruditos. A educação deveria ter como finalidade a estruturação de um ser para o entendimento da participação simbiótica do fenômeno humano com o planeta e com o universo. Ela é o único mecanismo de que dispomos para melhor nos encaixar no cosmo, tomando consciência de que fazemos parte integrante da natureza, e assim derrubar o mito de que somos isolados, centrais e especiais, com direito de a tudo devorar. Em minha opinião, educar é o maior desafio enfrentado hoje pelos governos do mundo. Se não passarmos a valorizar a educação e os seus agentes – professores e gestores de todos os níveis de ensino – dificilmente despertaremos do delírio materialista de nossa sociedade. Ou tratamos a educação como projeto prioritário e de longo prazo, que transcenda governos e sistemas políticos, sociais e econômicos, ou continuaremos iludidos por miragens, consumindo com voracidade e assistindo impassíveis ao crescimento da miséria, do sofrimento e o declínio de nossa jovem espécie. Por entendermos equivocadamente que vencer a qualquer custo é um fim em si mesmo, somos cúmplices do atual processo de extinção em massa que vem ocorrendo, talvez o maior dos cinco já registrados neste planeta. Tenho firme convicção de que a educação *lato sensu*, ou seja, em sentido amplo, é o nosso passaporte para a próxima fase evolutiva, quando, por renovação genética, aumentaremos a duração da existência de nossa espécie metamorfoseada para adaptação e início de uma nova etapa do processo cósmico, a expansão da complexidade-consciência no universo.

SOBRE O AUTOR

Cleofas Uchôa nasceu em 5 de junho de 1935, em Botafogo, na cidade do Rio de Janeiro. Cursou o secundário no Colégio Santo Ignácio e Mello e Souza. Foi seminarista do Aluisianum da Ordem dos Jesuítas. Ingressou no Colégio Naval, diplomando-se na Escola Naval como Oficial da Marinha do Brasil. Estudou na USP, onde obteve o grau de bacharel em Engenharia Naval. Em seguida cursou o Massachusetts Institute of Technology (MIT), obtendo os graus de "Naval Engineer" e "Master of Science in Electrical Engineering".

Na Marinha fez vários cursos de especialização em operações navais. Foi Encarregado de Navegação do navio de socorro marítimo Rebocador Tritão; Oficial de Caldeiras no Cruzador Barroso e Oficial de Comunicações do Cruzador Tamandaré. Encerrou suas atividades na Marinha trabalhando na Diretoria de Eletrônica como Chefe do Departamento Industrial, responsável pelos projetos de instalação, manutenção e reparos de equipamentos eletrônicos nos navios da Esquadra Brasileira. Foi ainda Assessor de Eletrônica da Comissão de Construção de Navios da Marinha Brasileira.

Como acadêmico, foi professor de Transmissão de Imagens (TV) na PUC-RJ; professor de Radioastronomia, Teoria de Comunicações e Sistemas Lineares da Universidade de Brasília, na qual também assumiu o cargo de Diretor da Faculdade de Tecnologia.

No setor empresarial, foi presidente da Companhia Telefônica de Brasília. Foi Diretor de Marketing da International Telephone and Telegraph Company (ITT). Em meados de 1970 participou ativamente da implantação da indústria de computadores do Brasil através do Programa Nacional de Informática, assumindo a direção técnica da Digibrás e a Vice Presidência Executiva da Cobra (Computadores Brasileiros).

Em 1980 assume a Vice Presidência Executiva da Universidade Estácio de Sá. Em 1983 assume o cargo de Diretor de Marketing do grupo ABC (Algar). Em 1985 assume a Vice-Presidência da Embratel, ocupando em seguida o cargo de Presidente.

Em 1987 funda a Rede Educativa de Rádio e Televisão da Região Dos Lagos, com emissoras em Macaé, Búzios, Cabo Frio e Angra dos Reis, no Rio de Janeiro.

Em 1994 retorna ao setor de telecomunicações assumindo o cargo de Diretor de Serviços Públicos de Telecomunicações do Ministério das Comunicações. Nesta função exerce a representação brasileira no INMARSAT (International Maritime Sattelite), com sede em Londres, e a de membro do conselho da Agência Espacial Brasileira. É então convidado a presidir a Iridium Sud America, responsável pela implantação do sistema mundial de comunicações por satélite na América Central e do Sul.

Depois de 6 anos como presidente da Telebrasil, Associação Brasileira de Telecomunicações, volta a trabalhar para o grupo da Universidade Estácio de Sá, fundada por seu irmão João Uchôa Cavalcanti Netto. Neste período preside o Conselho de Telecomunicações da Associação Comercial do Rio de Janeiro.

O autor recebeu diversas condecorações: Ordem do Mérito Militar, Mérito Aeronáutico, Grau de Grande Oficial do Mérito Naval, Grão-Mestre da Ordem do Rio Branco, Homenagem e Reconhecimento do Poder Legislativo Fluminense Pelos Relevantes Serviços Prestados às Telecomunicações Brasileiras, Mérito Industrial da FIRJAN (Federação das Indústrias do Rio de Janeiro), Membro da Academia de Letras do Município de Cabo Frio, Membro da Academia de Artes e Letras do Município de Búzios.

Publicou livros e ensaios e realizou inúmeras palestras sobre astronomia. Fundou o Observatório Astronômico de Búzios, um dos maiores observatórios particulares da América do Sul. Atualmente é consultor em telecomunicações, palestrante e escritor.

REFERÊNCIAS

ABBOT, E. A. *Flatland*: a romance of many dimensions. Cambridge: Perseus, 1899.

ASSIS, José Carlos. *A razão de Deus*. Rio de Janeiro: Civilização Brasileira, 2012.

AXELROD, R. *The evolution of cooperation*. New York: Basic Books, 1984.

AYDON, Cyril. *A história do homem*. Rio de Janeiro: Record, 2011.

BALLANDIER, George. *A desordem*: elogio do movimento. Rio de Janeiro: Bertand Russel, 1997.

BARROS, Marcelo; BETTO, Frei. *O amor fecundando o universo*: ecologia e espiritualidade. Rio de Janeiro: Agir, 2009.

BARROW, John. *Teorias de tudo*. Rio de Janeiro: Zahar, 1994.

BARROW, John; TIPLER, Frank. *The antropic cosmological principle*. New York: Oxford University Press, 1986.

BENTON, Michael J. *The history of life*: a very short introduction. New York: Oxford University Press, 2008.

BERRYM, A. *A short history of astronomy*. New York: Dover Publication, 1961.

BETTO, Frei; GLEISER, Marcelo. *Conversa sobre a fé e a ciência com Waldemar Falcão*. Rio de Janeiro: Agir, 2011.

BETTO, Frei. *A obra do artista - uma visão holística do universo*. São Paulo: Editora Ática, 1997.

BONDI, H. *Cosmology*. Cambridge UK: University Press, 1960.
BRONOWSKI, J. *Magic, science and civilization*. New York: Columbia University Press, 1973.
BRONOWSKI, J. *The common sense of science*. Cambridge: Harvard University Press, 1978a.
BRONOWSKI, J. *The origin of knowledge and imagination*. New Haven: Yale University Press, 1978b.
CAIRNS-SMITH, A. G. *Seven clues to the origin of life*. Cambridge: Cambridge University Press, 1985.
CAMPBELL, Joseph. *The mask of god: criative mythology*. New York: Penguin Books, 1976a.
CAMPBELL, Joseph. *The masks of god: primitive mythology*. New York: Penguin Books, 1976b.
CAMPBELL, Joseph. *The power of myth*. New York: Doubleday, 1988.
CAPRA, Fritjof. *A sabedoria incomum*. São Paulo: Cultrix, 1988.
CAPRA, Fritjof. *A teia da vida*. São Paulo: Cultrix, 1996.
CAPRA, Fritjof. *Belonging to the universe*. New York: Harper Collins Publishers, 1991.
CAPRA, Fritjof. *O ponto de mutação*. São Paulo: Cultrix, 1982.
CAPRA, Fritjof. *The Tao of physics*. London: Fontana, 1976.
CARROL, Lewis. *Alice's adventures in wonderland and through the looking glass*. New York: Signet Classics, 2000.
CARROL, Sean. *From eternity to here: the quest for the ultimate theory of time*. England: Plume Book-Peguin Books, 2010.
CASTI, John. *O colapso de tudo*. Rio de Janeiro: Intrínseca, 2012.
CHARDIN, Pierre Teilhard de. *La Activation de la energia*. Madrid: Taurus Ediciones, 1967a.

CHARDIN, Pierre Teilhard de. *La aparicion del hombre*. Madrid: Taurus Ediciones, 1967b.

CHARDIN, Pierre Teilhard de. *O fenômeno humano*. São Paulo: Editora Cultrix, 1994.

CHARDIN, Pierre Teilhard de. *O lugar do homem no universo*. Lisboa: Editorial Presença, 1958.

CHERMAN, Alexandre; VIEIRA, Fernando. *O tempo que o tempo tem*. Rio de Janeiro: Zahar, 2008.

CONNOR, James A. *A bruxa de Kepler*. Rio de Janeiro: Rocco, 2005.

CONVEY, Peter; HIGHFIELD, Roger. *A flecha do tempo*. São Paulo: Siciliano, 1993.

COSTA, Rebecca. *Superando supermemes*. São Paulo: Cultrix, 2012.

CRICK, Francis. *Life itself*: its origin and nature. New York: Simon and Shuster, 1981.

DAMPIER, William Cecil. *Historia de la ciencia y sus relaciones con la filosofia y la Religion*. Madrid: Editorial Tecnos, 1986.

DARWIN, Charles. O*n the origin of species by means of natural selection*. London: John Murray, 1859.

DARWIN, Charles. *The descent of man and selection in relation to sex. New York:* Appleton, 1871.

DAVIES, Paul. *A mente de Deus*. Rio de Janeiro: Ediouro, 1994.

DAVIES, Paul. *Cómo construir una máquina del tiempo*. Madrid-España: 451 Editores, 2008.

DAVIES, Paul. *O enigma do tempo: a revolução iniciada por Einstein*. Rio de Janeiro: Ediouro, 1999.

DAVIES, Paul. *O jackpot cósmico: por que é o nosso universo mesmo bom para a vida*. Lisboa: Gradiva, 2009.

DAVIES, Paul. *Superforce: the search of a grand unified theory of nature*. New York: Simom & Schuster, 1984.

DAVIES, Paul. *The forces of nature*. Cambridge UK: Cambridge University Press, 1979.

DAVIES, Paul. *The last three minutes: conjectures about the ultimate fate of the universe*. New York: Basic Books, 1997.

DAVIES, Paul. *The physics of time assimetry*. Berkeley and Los Angeles: University California Press, 1974.

DAVIES, Paul. *The runaway universe*. Harmondsworld: Penguin Books, 1978.

DAWKINS, Richard. *O rio que saia do éden*. Rio de Janeiro: Rocco, 2006.

DAWKINS, Richard. *A grande história da evolução*. São Paulo: Cia das Letras, 2009.

DAWKINS, Richard. *Deus, um delírio*. São Paulo: Cia das Letras, 2007.

DAWKINS, Richard. *O gene egoísta*. São Paulo: Cia das Letras, 1989.

DAWKINS, Richard. *O maior espetáculo da terra*. São Paulo: Cia das Letras, 2009.

DAWKINS, Richard. *The blind watchmaker*. Harlow: Longman, 1986.

DAWKINS, Richard. *The extended phenotype*. Oxford: Oxford University Press, 1982.

DE DUVE, Christian. *Poeira vital*. Rio de Janeiro: Campus, 1997.

DENNET, Daniel. *A perigosa ideia de Darwin*. Rio de Janeiro: Rocco, 1998.

DENNET, Daniel. *Breaking the spell*. New York: Penguin Books, 2006.

DIAMOND, Jared. *Collapse: how societies choose to fail or succeed.* New York: Vinking Penguin, 2005.

DIAMOND, Jared. *Guns, germs and steel: the fate of human societies.* New York: Norton, 1997.

DIAMOND, Jared. *The rise and fall of the third chimpanzee.* London: Vintage-Landom House, 1992.

DYSON, Freeman. *Disturbing the universe.* New York: Harper and Row, 1979.

DYSON, Freeman. *El científico rebelde.* Buenos Aires: Editorial Sudamerica, 2008.

DYSON, Freeman. *Infinito em todas as direções.* São Paulo: Best Seller, 1988.

DYSON, Freeman. *Mundos imaginados.* São Paulo: Cia das Letras, 1998.

DYSON, Freeman. *O sol, o genoma e a internet.* São Paulo: Cia das Letras, 2001.

EDDINGTON, Arthur S. *The nature of physical world.* New York: Macmillan, 1928.

EINSTEIN, Albert. *The world as I see it.* New Jersey: Seacaucus, 1979.

EISELEY, Loren. *The immense journey.* New York: Vintage Book, 1957.

ELIADE, Mircea. *História das crenças e das ideias religiosas: da Idade da Pedra aos Mistérios de Elêusis.* Rio de Janeiro: Zahar, 1983.

ELIADE, Mircea. *Mito e realidade.* São Paulo: Perspectiva, 1986.

ELIADE, Mircea. *The myth of the eternal return.* Princeton: Princeton University Press, 1971.

FALK, Dan. *In search of time: the history, physics, and philosophy of time.* New York: Martin Press, 2008.

FERRIS, Timothy. *O despertar da via láctea: uma história da astronomia*. Rio de Janeiro: Campus, 1990.

FERRY, Luc. *A revolução do amor: por uma espiritualidade laica*. Rio de Janeiro: Objetiva, 2012.

FERRY, Luc. *Aprender a viver: filosofia para os novos tempos*. Rio de Janeiro: Objetiva, 2010.

FEYMAN, Richard. *QED*. Princeton: Princeton University Press, 1985.

FEYMAN, Richard. *The character of physical law*. Cambridge: MIT Press, 1967.

GALILEI, Galileu. *Dialogues concerning two new sciences*. Chicago: Univesity Press of Chicago, 1952.

GALILEI, Galileu. *The sideral messenger*. London: Dawsons of Pall Mall, 1959.

GAMOW, George. *One, two, three... infinity*. New York: Viking Press, 1947.

GAMOW, George. *The creation of the universe*. New York: Viking Press, 1952.

GELL-MAN, Murray. *The quark and the jaguar*. New York: W.H. Freeman, 1994.

GLEISER, Marcelo. *A dança do universo*. São Paulo: Cia das Letras, 1997.

GLEISER, Marcelo. *Criação imperfeita: cosmo, vida e código oculto da natureza*. São Paulo: Record, 2010.

GLEISER, Marcelo. *O fim da terra e do céu*. São Paulo: Cia das Letras, 2001.

GLEISER, Marcelo. *Poeira das estrelas*. São Paulo: Ed. Globo, 2006.

GOLD, T. *The nature of time*. New York: Cornell University Press, 1967.

GOSWAMI, Amit. *O universo autoconsciente*. Rio de Janeiro: Rosa dos Tempos, 1998.

GOULD, Stephan Jay. *Time's arrow, time's cycle*. Cambridge: Harvard University Press, 1988.

GOULD, Stephan Jay. *Ever since Darwin: reflection in natural history*. New York: Norton, 1977.

GOULD, Stephen Jay. *The panda's thumb: more reflections in natural history*. New York: Norton, 1980.

GOULD, Stephen Jay. *A falsa medida do homem*. São Paulo: Martins Fontes, 1996.

GOULD, Stephen Jay. *Ontogeny and phylogeny*. Cambridge: Harvard University Press, 1997.

GREENBLATT, Stephen. *A virada: o nascimento do mundo moderno*. São Paulo: Cia das Letras, 2012.

GREENE, Brian. *A realidade oculta: universos paralelos e as leis profundas do cosmo*. São Paulo: Cia das Letras, 2012.

GREENE, Brian. *O tecido do cosmo*. São Paulo: Cia das Letras, 2005.

GRIBBIN, J. *Timewarps*. New York: Delacorte, 1979.

GRIBBIN, John. *In search of a multiverse*. New Jersey: J. Wiley and Sons, 2009.

GRIBBIN, John. *Schrödinger's kittens: and the search of reality*. Phoenix: Little Brown, 1996.

GRUNING, Herb. *Deus e a nova metafísica: um diálogo aberto entre ciência e a religião*. São Paulo: Aleph, 2007.

GUITTON, Jean. *Deus e a ciência*. Rio de Janeiro: Nova Fronteira, 1992.

GUTH, Alan. *The inflationary universe.* Massachusetts: Addison-Wesley, 1997.

HARRISON, Edward. *Cosmology: the science of the universe.* Cambridge: Cambridge University Press, 2000.

HARRISON, Edward. *Darkness at night: a riddle of the universe.* Cambridge: Harvard University Press, 1987.

HARRISON, Edward. *Masks of the universe.* New York: Cambridge University Press, 1985.

HAWKING, Stephen. *O universo numa casca de noz.* Rio de Janeiro: Nova Fronteira, 2009.

HAWKING, Stephen. *Uma breve história do tempo.* Rio de Janeiro: Rocco, 2002.

HAWKING, Stephen; MLODINOW, Leonard. *O grande projeto: novas respostas para as questões da vida.* Rio de Janeiro: Nova Fronteira, 2010.

HAWKING, Stephen; MLODINOW, Leonard. *Uma nova história do tempo.* São Paulo: Ediouro, 2005.

HOYLE, Fred. *From Stonehenge to modern cosmology.* São Francisco: Freeman, 1972.

HOYLE, Fred. *Ten faces of the universe.* São Francisco: Freeman, 1977.

HOYLE, Fred. *The nature of the universe.* New York: Harper. 1960.

KAKU, Michio. *A física do futuro: como a ciência moldará o destino humano e nosso cotidiano em 2100.* Rio de Janeiro: Rocco, 2012.

KAKU, Michio. *Hyperespaço: uma odisseia científica através de universos paralelos, empenamentos do tempo e a décima dimensão.* Rio de Janeiro: Rocco, 2000.

KAKU, Michio. *Visões do futuro*. Rio de Janeiro: Ed. Rocco, 2001.

KAUFMAN, William. *The cosmic frontiers of general relativity.* Boston: Little Brown and Co., 1977.

KEPLER, Johans. *The harmonics of the world.* Chicago: Chicago University Press, 1975.

KLEIN, Étienne. *O tempo: de Galileu a Eisntein*. Portugal: Caledoscópio, 2007.

KOESTLER, Arthur. *O fantasma da máquina*. Rio de Janeiro: Zahar, 1969.

KOESTLER, Arthur. *The sleepwalkers*. London: Hutchinson, 1959.

KOYRÉ, Alexander. *Estudos da história do pensamento científico*. Rio de Janeiro: Forense Universitária, 1982.

KOYRÉ, Alexander. *From the closed world to the infinite universe*. New York: Harper and Row, 1958.

KOYRÉ, Alexander. *The astronomical revolution*. New York: Cornell University Press, 1973.

KRAUSS, Lawrence M. *A universe from nothing*. New York: Free Press, 2012.

KUHN, Thomas S. *The copernican revolution: planetary astronomy in the development of western thought*. Cambridge: Harvard University Press, 1979.

KUHN, Thomas S. *The structure of scientific revolution*. Chicago: University of Chicago Prees, 1970.

LASZLO, Ervin. *O ponto do caos*. Cultrix: São Paulo, 2011.

LASZLO, Ervin. *Um salto quântico no cérebro global*. São Paulo: Cultrix, 2012.

LESTIENNE, Rémy. *O acaso criador: o poder criativo do acaso*. São Paulo: Unesp, 2008.
LÉVY, Pierre. *A conexão planetária*. São Paulo: Ed. 34, 2001.
LIPOVETSKY, Gilles; CHARLES, Sebastien. *Os tempos hipermodernos*. São Paulo: Barcarolla, 2004.
LORENZ, K. Z. *On agression*. London: Metuhen, 1966.
LOVELOCK, James. *Gaia*. Oxford: Oxford University Press, 1979.
LOVELOCK, James. *A vingança de Gaia*. Rio de Janeiro: Intrínseca, 2006.
LURIA, S. E. *Life: The unfinished experiment*. London: Souvenir Press, 1973.
MARGULIS, Lynn. *O que é a vida?* Rio de Janeiro: Zahar, 2002.
MARGULIS, Lynn. *Symbiosis in cell evolution*. San Francisco: H. W. Freeman, 1981.
MAYNARD Smith, J. *Evolution and the theory of games*. Cambridge: Cambridge University Press, 1982.
MAYR, Ernst. *Isto é biologia*. São Paulo: Cia das Letras, 2008.
MAYR, Ernst. *O que é evolução*. Rio de Janeiro: Rocco, 2009.
MAYR, Ernst. *The growth of biological thought*. Cambridge: Harvard University Press, 1982.
MAYR, Ernst. *What makes biology unique?* Cambridge: Cambridge University Press, 2004.
MONTAGU, A. *The nature of human aggression*. Oxford: Oxford University Press, 1976.
MORIN, Edgar. *A cabeça bem-feita*. Rio de Janeiro: Bertrand Brasil, 2000.

MORIN, Edgar. A *inteligência da complexidade*. São Paulo: Fundação Petrópolis, 1999.

MORIN, Edgar. *A religação dos saberes: o desafio do século XXI*. Rio de Janeiro: Bertrand Brasil, 2010.

MORIN, Edgar. *A via para o futuro da humanidade*. Rio de Janeiro: Bertrand Brasil, 2011.

MORIN, Edgar. *Ciência com consciência*. Rio de Janeiro: Bertrand Russel, 1999.

MORIN, Edgar. *El paradigma perdido*. 5 ed. Barcelona: Kairós, 1996.

MORIN, Edgar. *Introdução ao pensamento complexo*. 4 ed. Porto Alegre: Sulina, 2005.

MORIN, Edgar. *O método 5: a humanidade da humanidade*. Porto Alegre: Sulina, 2007.

MORIN, Edgar. *O método 1: a natureza da natureza*. Porto Alegre: Sulina, 2008.

MUNITZ, M.K. *Theories of the universe: from Babylonian myth to modern science*. New York: Free Press, 1957.

NOVELLO, Mario. *Máquina do tempo: um olhar científico*. Rio de Janeiro: Zahar, 2005.

NOVELLO, Mario. *O círculo do tempo*. Rio de Janeiro: Campus, 1997.

NOVELLO, Mario. *Do Big Bang ao universo eterno*. Rio de Janeiro. Zahar, 2010

O LIVRO do Eclesiastes. In: BÍBLIA sagrada: antigo testamento. Ed. aprovada pelo cardeal Dom Jaime de Barros Câmara. São Paulo: Encyclopedia Britânica Publishers, 1986. cap. 1.

PAGELS, Heinz R. *Perfect symmetry: the search for the beginning of time*. New York: Bantam Books, 1986.

PAGELS, Heinz R. *The cosmic code: quantum physics as the language of nature*. Nova York: Bantam Books, 1983.

PAPP, Desiderio. *História de la ciência em el siglo XX*. Chile: Editora Universitaria, 1983.

PENROSE, Roger. *Ciclos del tiempo: una extraordinária nueva vison del universo*. Barcelona: Debolssilo, 2010.

PENROSE, Roger. *The emperor's new mind*. New York: Oxford University Press, 1989.

POPPER, Karl. *The logic of scientific discovery*. New York: Harper and Row, 1968.

PRIGOGINE, Ilya. *From being to becoming: time and complexity in the physical sciences*. San Francisco: Freeman, 1980.

PRIGOGINE, Ilya; STENGERS, Isabele. *Entre le temps et l'eternité*. Paris: Zayard, 1988.

PRIMACK, Joel R.; ABRAMS, Nancy Ellen. *The new universe and the human future: how a shared cosmology could transform the world*. New Haven & London: Yale University Press, 2011.

PRIMACK, Joel R.; ABRAMS, Nancy Ellen. *The view from the center of the universe: discovering our extraordinary place in the cosmos*. New York: Riverhead, 2006.

REES, Martin. *Before the begining: our universe and others*. Massachusetts: Addison & Wesley, 1997.

REES, Martin. *Hora final*. São Paulo: Cia. das Letras, 2005.

RIDEAU, Émile. *O pensamento de Teilhard de Chardin*. Lisboa: Livraria Duas Cidades, 1965.

RIDLEY, Matt. *El optimista racional: tiene limites la capacidad de progresso de la especie humana?* Madrid: Santilana, 2011.

RIDLEY, Matt. *The origin of virtue.* London: Viking, 1996.

SACHS, J. L. "The evolution of cooperation", *The Quarterly Review of Biology*, 79: 135-160, 2004.

SAGAN, Carl. *Pálido ponto azul: uma visão do futuro da humanidade.* São Paulo: Cia. das Letras, 1996.

SAHTOURIS, Elisabet. *A dança da terra: sistemas vivos em evolução, uma nova visão da biologia.* Rio de Janeiro: Rosa dos Tempos, 1998.

SCHÖPKE, Regina. *Matéria em movimento: a ilusão do tempo e o eterno retorno.* São Paulo: Martins Fontes, 2009.

SCHRÖDINGER, Erwin. *What is life?: the physical aspect of the living cell.* New York: Cambridge University Press, 1946.

SERRES, Michel. *Hominescências: o começo de uma outra humanidade.* Rio de Janeiro: Bertrand Brasil, 2003.

SILK, Joseph. *The Big Bang.* San Francisco: W. H. Freeman and Co., 1980.

SIMPSON, G. C. *The view of life: the world of an evolutionist.* New York: Harcour, Brace and World, 1963.

SING, Simon. *Big Bang.* Rio de Janeiro: Record, 2006.

SOROS, Georg. *A crise do capitalismo.* Rio de Janeiro: Campus, 1988.

SWIMME, Brian. *O coração oculto do cosmo: a humanidade e a nova história.* São Paulo: Cultrix, 1999.

SWIMME, Brian; BERRY, Thomas. *The universe story.* New York: Harper Collins Publishers, 1992.

SZAMOSI, Géza. *Tempo & Espaço: as dimensões gêmeas.* Rio de Janeiro: Zahar, 1988.

UCHÔA, Cleofas. *Renovação genética ou extinção?* Rio de Janeiro: Uniletras, 2001.

VAN DOREN, Charles. *Uma breve história do conhecimento.* Rio de Janeiro: Casa da Palavra, 2012.

VARELA, Francisco. *El fenômeno de la vida.* Santiago: Dolmen Ediciones, 2000.

WATSON, James D. *DNA: o segredo da vida.* São Paulo: Cia das Letras, 2005.

WECK, Carol; SILK, Joan; SKYRMS, Brian; SPELKE, Elizabeth; TOMASELLO, Michael. *Por quê cooperamos?* Buenos Aires: Katz Editores, 2010.

WEINBERG, Steven. *Dreams of a final theory.* New York: Phanteon, 1992.

WEINBERG, Steven. *The first three minutes: a modern view of the origin of the universe.* New York: Basic Books, 1993.

WHELLER, J. A. *Frontiers of time.* Amsterdan: North Holland, 1979.

WILSON, Edward O. *A conquista social da terra.* São Paulo: Cia das Letras, 2012.

WILSON, Edward O. *A criação: como salvar a vida na terra.* São Paulo: Cia das Letras, 2008.

WILSON, Edward O. *Consiliência: a unidade do conhecimento.* Rio de Janeiro: Campus, 1999.

WILSON, Edward O. *On human nature.* Cambridge: Harvard University Press, 1978.

WILSON, Edward O. *Sociobiology: the new synthesis.* Cambridge: Harvard University Press, 1975.

WITROW, G. J. *O que é o tempo?* Rio de Janeiro: Zahar, 2005.

WITROW, G. J. *O tempo na história: concepções do tempo da pré-história aos nossos dias*. Rio de Janeiro: Zahar, 1993.

WRIGHT, Robert. *A evolução de Deus*. Rio de Janeiro: Record, 2012.

WRIGHT, Robert. *Não zero: a lógica do destino humano*. Rio de Janeiro: Campus, 2000.

WRIGHT, Robert. *The moral animal: evolutionary psychology and everyday life*. New York: Phanteon, 1994.

Agradecimentos

O que torna o Big Bang diferente da proposta dos maias, de que somos todos feitos de milho branco e amarelo?
(Leonard Mlodinow)

Obrigado a vocês, meu pai e minha mãe, e a nossos ancestrais que, por contingências, deram-me existência nesta Terra para aqui ficar mesmo que seja por um pequeníssimo tempo. Fui percebendo com vocês que vivemos de versões do mundo. Vocês me incentivaram a olhar para o céu, desde menino, o que me fez perceber que ficar em estado de dúvida é um processo extraordinário de fé no transcendental fenômeno da consciência que ocorre no universo. Obrigado à minha segunda família, a dos Saraiva, Henrique e Lilica, meus queridos sogros, que generosa e amorosamente me aceitaram em sua família, permitindo que me preparasse para obter o grau de "master of science" em uma das mais renomadas universidades do mundo, o MIT.

Sou especialmente grato aos meus sobrinhos André Cleofas e Marcel Cleofas, e ao meu cunhado Henrique Saraiva, que muito me apoiaram e sem os quais este livro não teria sido escrito. Dedico especialmente a eles o capítulo 6.

Sylvio Gonçalves foi meu anjo da guarda durante a elaboração deste livro, ajudando-me a torná-lo mais agradável à leitura, para que o leitor fosse estimulado a refletir sobre o nosso fenômeno neste subúrbio do espaço.

Antonio Ribeiro dos Santos, o Toninho, meu ex-aluno e amigo de profissão, é com quem mantenho correspondência tratando de interpretações sobre nossa existência. Toninho, cheio de fé, sempre foi destacado inspirador dos meus pensamentos. Com ele, fui percebendo que não sou crente, nem ateu e nem mesmo agnóstico. E o que é que eu sou afinal? Simplesmente alguém que vive à procura de um Deus, em constante dúvida e aguardando o inimaginável, minha profissão de fé.

Não posso deixar de agradecer a Claudia Romano, dedicada amiga de meu irmão João, que teve a gentileza de sugerir à direção da Universidade Estácio de Sá que me cedesse uma sala. Ali pude desfrutar de isolamento e concentração durante seis meses, tempo essencial para concluir esta obra - consolidada numa viagem solitária pelo Mediterrâneo e Atlântico, olhando atentamente para o mar, nossa origem, e para o céu, nosso próximo destino.

Sou muito grato ao estímulo das palavras de dois diletos amigos, Victor Moreno e Jacques Scvirer, que me encorajaram e disseram: "Pare e publique". Em jantar entre nossas famílias, afirmei que estava dando naquele dia um ponto final. Também não posso deixar de lembrar o duradouro estímulo intelectual que me proporcionaram Romulo Furtado, Pedro Schvinger e, particularmente, meu saudoso e queridíssimo Mario Silveira.

Agradeço ainda a meus amigos de infância Sylvio Reis e Carlos Milanez, que sempre me motivaram a ir em frente. Também a Rose Zuanetti, que foi impecável na preparação de originais e na primeira revisão dos textos.

Muito agradeço ao meu confidente amigo, compadre, companheiro de profissão na Marinha do Brasil, parceiro em minha tese de mestrado e especial orientador filosófico de minha vida, que já partiu deste planeta, Phactuel Machado Rego. Ele foi incansável e instigador metafísico do Acaso Criador e sempre me dizia: "Nada mais prático do que uma boa teoria".

Agradeço aos meus professores do Colégio Santo Ignácio, do Colégio Naval, da Escola Naval e do Massachusetts Institute of Technology, que são coautores deste livro. Aprendi a aprender com eles e a indagar sobre as coisas da vida.

Agradeço ainda a cooperação inestimável da Zezé, secretária de nossa casa, colaboradora amorosa. Quase nossa filha.

A capa inspiradora deste livro deve-se à imaginação e dedicação de Fernanda Urbano, Victor Dantas, Frederico Estevão e Luciano Cian, da Ciclo Arquitetura, e Eduardo Nunes, dirigidos pelo arquiteto João Uchôa.

Agradeço também ao meu atencioso editor Tomaz Adour da Vermelho Marinho.

Este agradecimento estaria incompleto se não constasse os nomes do Dr. Sérgio Gaspar e do Dr. Renato Barrouin, que conseguiram me proporcionar longevidade, boa qualidade de vida e equilíbrio para resolver os naturais e interessantes problemas da existência. Ainda agradeço ao Dr. Renato Muglia que, por competência e carinho, impediu que eu partisse mais cedo deste planeta.

O agradecimento final – e o mais relevante – não podia deixar de ser à pessoa com quem convivo há 55 anos, com quem tive 15 descendentes diretos (filhos, netos e bisneto) e que me proporciona a alegria e a razão de viver, minha adorável e paciente companheira, meu amor, Giginha. Sem sua resiliência, seu carinho, sua conduta e suas perspicazes e atentas observações sobre a vida, Giginha, este livro jamais teria sido criado.

Este livro foi composto na tipologia
Minion Pro, em corpo 12
e impresso em papel pólen 80 g/m²
1ª edição - outubro de 2013.